オタクが予測する2060

ライフコンシェルジュ（株）代表取締役
岡本公功 著

プロローグ　２０６０年、人は神のように生きられる

■壮絶に楽しい未来がやってくる！

あなたはこれからの未来について、どんな世界がくると思いますか？

・未知のウイルス感染によるパンデミックの出現
・５Ｇなど新型通信による電磁波問題
・ＰＭ２・５などの新しい公害問題
・少子化からくる年金問題
・ＡＩ（人工頭脳）などの技術革新により、人間の仕事が淘汰され消えていく社会
・終わりの見えない紛争と食糧危機
・インターネットなど複雑化する社会システム
・クレームや悪口が拡散されるストレス社会

頭が痛くなって、思考も止まりそうになりますね。

では、今の生活はどうですか？
最新スマートフォンなど、次から次に、まるで押しつけられるかのように、新しい技術を高額で購入させられる。でも、その利便性と引き換えに、新しい問題を増幅させているように感じる。すべての物にインターネットをというＩＯＴや、ＡＩなどの人工知能が使われているらしいけど、実際は思ったほど便利とも感じず、むしろ行き過ぎた多機能化は使いにくくもある。
インターネット社会は、インフォデミック（情報の氾濫）なんて言葉も生み出す始末だし。

未来への絶望や現状の問題を受け、「もう技術革新なんていらない！」「昔のほうが良かった！」「人類に未来はない！」と考えている人も、少なくないのではないでしょうか。

はじめまして。ＩＴ大好き、ガジェット（新しい機器、おもしろい電気製品）が大好きな明るいオタクの岡本と申します。

本業がオタクで、会社の経営は副業と言ってもいいのですが、僕が代表を務める会社は、世界でまだ誰も開発していない『総合情報サービス（総合コンシェルジュサービス）』を提供しています。

サービスインしたのが、２０１５年で、現在、クライアント数は11万人を超え、今後も増える予定です。

僕は10歳のときからゲームのプログラミングをして遊んでいたようなＩＴオタク。そんなオタクから見た未来は、40年先まで夢と希望にあふれています。

もちろん、その過程でいろいろな問題も出てきます。そうした問題を人はどう克服すればいいのか、現代人が抱える問題はいつ解決するのか、あるいは解決する方法があるのか、はたまたお金や経済はどんなふうに変わっていくのか。

この本では、その答えを楽しくノリでお伝えしたいと思います。

これから語るのは、**ゲーム、マンガ、アニメも大好きで、ＩＴ、プログラム、ドロー**

ン作りや、カメラの分解組み立て、機械工作が大好きというひとりのオタクによる、未来予測妄想シナリオです。

それは、権威ある〝先生〟と呼ばれる方々が語るものとは、一味違います。

結論からお伝えすると、これからこの地球に「壮絶に楽しい未来」がやってきます。

それは、まるですべての人が**神のごとく暮らせる世界**。その未来がやって来るのが、約40年後である**2060年頃**です。

それはいったいどのような流れでやってくるのか。神のような暮らしをするためには、それまでに何をしたらいいのか。

そして、壮絶に楽しい未来とともに、どんな課題がやってくるのかをオタクの視点から時代を読み、楽しく解説、共有していきたいと思います。

■あなたは未来で、必ず幸福を選択できるようになる

数年前からテレビや雑誌などのさまざまなメディアで、「未来10年なくなる仕事」というのを目にするようになりました。

なくなる、というキーワードだけ聞いて、コンピューターやＡＩの進化によって人類の生活が脅かされるのでは、と懸念されている人って多いですよね。

ですがこういった記事は、ＩＴ分野を中心とした調査を行う世界的に有名な企業ガートナー社からの発表を、各メディアが部分的にとり挙げたもので、「なくなる仕事」だけがひとり歩きしている状態にあるのです。

確かに、未来、淘汰されてなくなる仕事もあるのは事実です。ですが、２０１７年のガートナー調査では、**「数年で１８０万種類の仕事がなくなり、同時に、２３０万種類の仕事が生まれる」**というのが正式な発表だったのです。

そして、現在も新しい仕事が生まれ、増え続けている状態にあります。


未来調査でも、ＡＩやコンピューターによって、まず単純作業からなくなっていくと言われていました。

それを言い換えれば、**人はまず単純作業から解放され、よりクリエイティブな仕事に就くことになり、また発展途上の技術、ＡＩ、コンピューターを補助する仕事が、どんどん増えていく**ということです。

本書の中では、具体的に何年後にどんな仕事が出てくるかも触れていきます。
近未来にてお金になる仕事や、新しく生まれる仕事にどんなスキルが必要か、その準備やイメージトレーニングにも生かしてみてください。

世の中ってみんなが良くなるほうに動いたら良くなるし、悪くなるほうへ動いたら悪くなる。それが当たり前の摂理だと思っています。

それなのに、「単純作業だって誰かにとっては大切な仕事なんだ！」と叫んでいる人は、今でも「掃除や洗濯は主婦の大切な仕事なんだから、掃除機や洗濯機はなくしたほうがいい！」と思っているのでしょうか。

掃除や洗濯という一日作業から解放された人々が社会に出て、どれだけの仕事が増えたことでしょう。

技術が進めば、人がそれに費やしていたはずの時間を「自由」に使えるようになる。これはヒトだかサルだかが、石や木の枝で道具を発明したときから、ずーっと続いていることなのです。

人の価値観というものは、技術の進歩とともに必ず変化します。しかもそれは当事者も気づかないうちに、です。

今どき「女の人は家にいて、心をこめて炊事洗濯をすべきだ」なんてつぶやく人がいたら、大炎上するでしょう。技術の進歩により、概念が進化した一例です。

20年後には、ＡＩが人と同じレベルの思考にたどり着き、「感情」まで持ってしまうシンギュラリティが現実化しているはずです。そして、これからは効率化を目指す人間にとって、食べるための仕事は加速度的になくなっていくでしょう。

それまで当たり前のようにやっていた作業がどんどんなくなっていくからこそ、限られた寿命の中で人類は、**「いかに幸福に人生を謳歌できるか」**という本質の追求へとシフトしていけるのです。

そして、２０６０年には、人間の仕事は、ほぼ終わりを迎えます。

仕事をする上では、効率的にも内容的にも人工知能のほうが、人類をはるかに凌駕するからです。

■人類最大の問題、人口爆発は来ない

未来予測といっても、本書ではさまざまな事象を、オタク目線で混ぜまくって計算していきます。

くわしくは本文でお話しますが、例として世界的に問題視されている、地球の人口爆発について触れてみましょう。

権威ある専門家の方々は、世界規模の人口爆発を非常に懸念されています。

ですが、**オタクからすると、非常に簡単な方法で、脅威をともなわず、もっと言うと低コストで自然に止めてしまうことができます。**

そう、人口爆発は、あることを実践すると防ぐことができる、ということです。

日本を例に見てみましょう。

日本は明治時代後半から急激に人口が増加していきました。特に第二次世界大戦、50年あまりで人口は約2倍になります。まさに急加速です。

なぜ、このように指数関数レベルで人口増加が加速していったのか。

それは人々のなかにあるもっとも強い感情が、「不安」だったからです。

生物は不安を感じれば種を残そうと必死になり、人間もそれと同じ。食べるものがなく、インフラも整っていない環境だと、人口だけはどんどん増えていきます。

事実、戦後、発展途上国から先進国に仲間入りするあたりから、人々のなかから不安という感情が消え始め、当然の成り行きで急激な少子化が始まり、今に至るのです。

世界の新しい開発目標として掲げられるＳＤＧｓ（Sustainable Development Goals）には、17のゴールが設定されています。

そのうち、人口爆発さえ抑えれば、貧困の根絶（ゴール１）、不平等の是正（ゴール５および10）、飢餓と栄養不良への対策（ゴール２）、保健・教育のカバレッジと質の向上（ゴール３および４）、これらの目標達成に限りなく近づいていけるのです。

国連調査によると、２０５０年までの間、世界でもっとも大幅な人口増加が起きると見られるのはインド、ナイジェリア、パキスタン、コンゴ民主共和国、エチオピア、タンザニア連合共和国、インドネシア、エジプト、アメリカの９カ国です。

発展途上国の人口を増やさない秘策。そのカギを握っているのが、テクノロジーとエンターテインメントです。

世界の人口増加を止めたければ、不安を抱える発展途上国に、不安を取り除くコンテンツをぶち込むだけで、人口増加は一気に減速します。

ここでひとつの疑問が生まれるはずです。それは、発展途上国にどうやってコンテンツを導入させるのか、という点。

これだって、実はもう解決ずみなんです。

あなたは、タイ、カンボジア、ミャンマー、ベトナムのスマートフォンの普及率が日本を超えているってご存じですか。

貧困問題を抱える国の国民が、なぜそんな高価なものを手にできているのか不思議ですよね。

ではお聞きします。あなたのスマートフォンって、それ何台目ですか?

大抵の人が壊れていないけれど、新しいものに買い換えますよね。我々が古くなったと思っていたスマホが、ごっそりアジアの人々へ届けられているのです。向こうでは、型が最新でないからと気にする人はいません。みんなタダ同然で手にしているのです。

しかも、実は彼らの国ではWi-Fiが公共インフラとしてすでに整っていて、インターネットにも無料でつながり放題。

低賃金で働いている女性が職場に連れてきている子どもたちは、工場の片隅に座り、みんなスマホでＹｏｕＴｕｂｅ（ユーチューブ）を観たり、ゲームをしたりしています。これが現実なのです。

もったいないことに、この事実を、日本を含む先進国の技術者って知らないんですよね。最先端のものはアメリカが創造し、技術は先進国が引っ張っていると過信しているので、発展途上国の現状を見る必要がないと思っているのです。

当然、不安を取り除くコンテンツを届けることで、人口爆発などは簡単に調節することができることなど知り得ません。

でも現実は、すでにデバイスは行き渡り、ものすごい数の人々がコンテンツを待っている。もしオタクがテクノロジーとエンターテインメントの観点から、不安を取り除くコンテンツを作り、それが発展途上国でバズったらどうなると思いますか？

若者から不安が取り除かれ、人口爆発なんて心配は過去の幻想に変わるでしょう。

人類の幸せへのカギを握るのは、テクノロジーとエンターテインメントです。そしてそれを実現するのはオタクたちです。僕はそのオタクに期待して、この本を執筆していきます。

オタクが計算すると、経済成長や金融変動も、違って見えてきます。

この予測を聞いていただけたら、**あなたは未来で必ず幸福になるための選択ができるようになる**はずです。

世界は、必ず良くなっていきます。テクノロジーにも、人類の成長にも一切ブレーキをかける必要はない、ということ。

本書ではその理由をお話しします。

この未来予測を、希望と期待を胸に読み進めていただければと思います。

オタクが予測する2060　もくじ

CHAPTER 02 近未来に起こる世界の変化

CHAPTER 03

2030年、技術の発展と意識の変化

CHAPTER 04

2040年、人工頭脳：AIが完成する

CHAPTER 05

2050年、人型ロボットという良きパートナーを得る

CHAPTER 06

2060年、人が神のごとく生きる世界

CHAPTER 01

オタクが計算する未来予測

■オタク的未来の計算方法

これまで未来予測というと、各専門分野の権威とされた人が、ご自身の分野に特化した形で未来予測を立てていました。

たとえば、統計学の先生が統計学的な見地から未来を予測したり、医学の権威が医学的見地から未来を予測したり、といった感じです。

その分野に特化した権威ある識者から話を聞いたほうが、より正確な未来について聞けそうな気がする、ということなのでしょうが、それは正しくもあり、間違いでもあります。

なぜなら、権威というのは逆に、当人の専門分野以外の視点では話がしにくいものだからです。あくまで自らの研究対象を通して語るからこそ、需要がある人たちなんです。

むしろ安易に他の分野について語ったりすれば、その分野に精通している人々から「お前が語るな！」とバッシングされるご時世です。

ですが、オタクという立場であれば、何について語ろうが、特段気にする人もいないはず。

そこで今回、**僕はオタクとしてのこの利点を生かして、未来に起こりうる出来事をあらゆる角度から気楽に計算し、自由な見地で予測してみました。**

オタクが具体的にどうやって未来を計算したのか、そもそもオタクそのものの思考が気になったなら本書は最高です。

未来予測といっても、本書ではさまざまな事象をオタク目線で混ぜまくって計算していきます。

現在はもはや死語となりましたが、20年ほど前（2000年頃）には、『グロス化現象・グロス化社会』なんて言葉がビジネス用語として使われていました。

グロス化とは、「これからの未来はあらゆるものやサービスが混ざり合っていく」という意味です。

本書では、この「混ざり合う」というのがひとつのカギになっていきます。

2020年公開の映画『TENETテネット』という作品をご存じでしょうか。

物語は、過去と未来が混ざり合うエントロピーの増大と、その方向性の反転がテーマです。

たとえば、ここに新品のバッグがあるとします。今新品であっても使用しているうちに傷や汚れやサビが増えて、最後は壊れてしまいます。一度ついた傷や汚れやサビは、手を加えない限り、勝手に新品同様の状態に戻ることはありえません。新品のカバンに、傷や汚れやサビが混ざり合って未来ができ上がる、これがエントロピーの増大です。

映画ではエントロピーが増大していく方向の反転も描かれていて、この物質世界では見ることができない現象を目の当たりにでき、大変興味深い内容でした。

シンプルな現状に、いろいろな出来事が混ざり合って未来ができていき、究極カオスな状態になると、それはまた次元を上げて混ざり合います。

本書の未来予測はこれを計算しています。

人類は何もないシンプルな生活から、便利さを追求してさまざまな道具を作り出してきました。

時計、コンパス、ペン、消しゴム、手帳、電話、カメラ……。どんどん道具の数が増えていき、生活に混ざり合い、だんだんカオスな状況になってきます。

そして、数が増え過ぎてカオスになると次元が上がって、携帯電話のようなすべてをひとつに入れ込んでしまう端末ができ上がります。

携帯電話はその中にカメラ、メモ帳、コンパス、時計、ゲームなど、あらゆるものが混ざり合っています。そうした便利なものを手にすると、それがなかった生活には戻れなくなってしまいます。

すると疑問が出てくるのが、携帯電話はこれから何を取り込み、取り込み過ぎるとまた次元を上げて何に変わり、それはいつ来るのかということです。

自動車を例にとって見ていきましょう。

自動車の歴史を見てみると、1886年にメルセデス・ベンツがガソリンエンジンを搭載した自動車を開発しました。

自動車は人々の移動手段となり、のちに暑さ寒さをしのぐために、エアコンというエレクトロニクス製品を搭載し、その後、道に迷わないようカーナビという通信機能が加わりました。最近では、ながら運転による危険を回避するための、『コンシェルジュ』というサービスを採用しているのがメルセデス・ベンツです。

これは単なる自動車の歴史というだけではなく、社会がどのように変化していくのかを物語ってくれています。

自動車の例でいえば、「移動器械＋電化機器＋通信機器＋情報サービス」という具合に、時間とともにあらゆる要素が進化し、グロス化されていったのです。

これは一例で、この本では今後どの技術とどの技術が、どういったタイミングでグロス化されていくかも予測の中に含めました。

特に、**エンターテインメント（以後、エンタメ）産業**と**セキュリティー産業**を重要なポジションとして計算しています。

「なんでその2つの産業？」と思いますよね。その理由は**「衣食住たりて遊《ゆう》・健《けん》・美《び》」**という概念が我々にはあるからです。

20世紀のうちに衣食住については、ほぼ足りてしまったのは言うまでもありません。21世紀では、その先の「遊び」「健康」「美しさ」が重要になってくる。

そういった意味では、「遊」と「美」を司るエンタメ産業、さらに体と経済の「健」を担保するセキュリティー産業が重要なカギになってくるんです。

そして、計算する上でこうした視点に加えていくのが、時代の〝波〟です。

正しい未来を知るためには、正しい過去を見ていく必要があります。しかもそれが「何年前の何月にあったのか」が重要になってくるんです。

この波については、「フラクタル」と「指数関数」、この2つがカギとなります。「この世のすべては波からできている」ってどこかで聞いたことがあるかもしれませんね。

それっていったいどういうことなのか。ちょっとそこから始めてみましょう。

■この世のすべてはフラクタルで計算できる

あなたはフラクタルという言葉をご存じでしょうか？

フラクタルとは、幾何学を構成する概念として知られています。

要するに、**一見すると複雑な形に見えるものでも、実は単純な形を組み合わせていけば、その複雑な形と同様のものを作ることができるという数学の理論のこと**です。

そして、これがめちゃくちゃおもしろいんです。

たとえば、血管の大動脈の枝分かれの仕方と毛細血管の枝分かれの仕方は、太さが違うだけで、そのパターンはそっくりです。

つまり、部分と全体が自己相似（再帰）になっているということです。部分と全体、どちらにフォーカスするにしても、そのパターンは同じです。

しかも、自然にあるもののほぼすべてが、これに当てはまります。

いい例として次のようなお話があります。

昔むかし、ポルトガルとスペインが、国境線の長さについてもめていました。

ポルトガルは1214キロメートル、スペインは987キロメートルと別の値を主張していたそうです。

そこで、どちらが正しいのか調べたところ、双方で使っている地図の縮尺が違っていただけということがわかりました。

つまり、詳細な地図を使っていたポルトガルでは1214キロメートルとなりましたが、ポルトガルより縮尺が広域な地図を使っていたスペインでは、地図上では国境線にあるデコボコが簡略化され、距離が987メートルになったということでした。

この縮尺と距離をざっくりフラクタル次元と考えることができます。

次元①：宇宙の人工衛星から海岸線を図る
次元②：現場でレーザーを使って、丘の隆起や大きな岩のデコボコまでを計測する
次元③：タイヤつきのコロコロ転がるローラーを使って、地面の石ころのデコボコ、ガタガタまで計測する
次元④：土や石の分子や原子のデコボコまで計測する

すべて違う距離が計測されますが、次元①〜④には自己相似が見られるはずです。それは、大きな海岸線のデコボコも、大きな岩のデコボコも、石ころの表面の小さなデコボコもなんとなく似ているということ。つまり、石ころの小さなデコボコから、大きな海岸線のデコボコを予測することが可能となるのです。

未来予測にフラクタルを使用するのは、自己相似を計算に入れるからです。大きな時代の周期と小さな出来事の周期は、関連がなさそうに見えて自己相似しています。

米コロラド大学のアーロン・クローセット博士によると、大きな世界大戦は205年の周期で勃発し、中規模の世界の紛争を見てみると年に数件程あり、夫婦ケンカのような小さな争いであれば、日本人は月平均で2回ほどやっています。

大きさこそ違いますが、それぞれの争いは自己相似しています。これがまさにフラクタルな概念による計算です。

ポルトガルで使われていた地図

スペインで使われていた地図

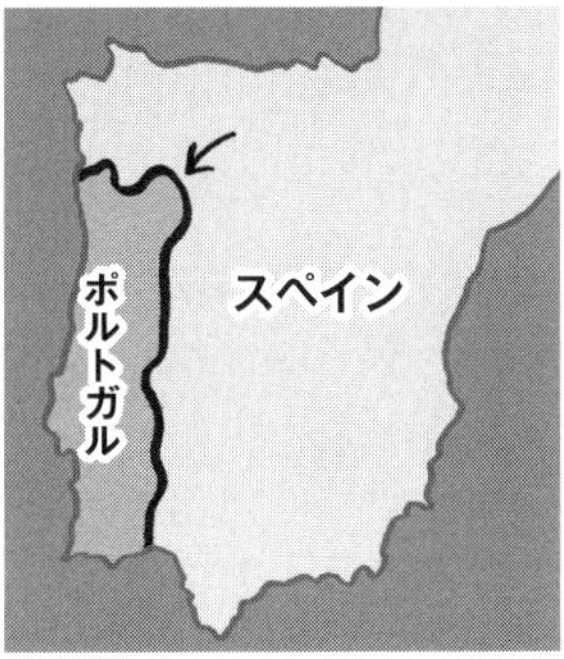

■FX投資でフラクタルを活用

未来予測には、過去の経験を活かすことも大事です。オタクの僕もやらかしてしまった過去があります。

でも成功者が、「人は成功からは学べないが、失敗から学ぶものは多い」というから、僕としてはこの失敗談も生かしておきたい（笑）。

当時僕はまだ20代。ネットの経済情報に出ていた株式チャートをぼんやり見ていてふと、「なんか自己相似をくり返すフラクタルな波みたいだな……」と思いました。

その波がどんどん鮮明に見えてきて、「ひょっとしたら株式相場って、時事ネタや過去のビッグデータがなくても、自然界の波として計算すれば未来が予測できるのではないか」と思い立ち、フラクタル理論に基づいて株式予測プログラムを組んでみたんです。

要するに、大中小あらゆる波の周期パターンをコンピューターでひたすら計算しまくって、パターンを探るプログラムを組んでみたんです。

のちにわかったのは、フラクタル理論の生みの親であるブノワ・マンデルブロ氏は、株式チャートを見てフラクタルを発想したらしいので、僕の発想もあながち間違ってはいなかったようです。

実際、これをFXのバイナリーオプションに適応してみると、かなり当たりました。

当時は儲かったことがただ嬉しくて、手に入れたお金で遊んでいたのですが、そんなにラクばかりは続かないもので、2007年のアメリカ、サブプライムローンの破綻から始まったリーマンショックでは、自然な波からかけ離れた波が直撃し、あえなく撃沈。

二度とやるまいと誓ったのでした（笑）。

この日学んだことは、「計測したことのない波は計算できない！」という事実。

ですから本書の未来予測には、特に自然災害など、人類がまだ計測できていない超ロング周期の出来事については、計算から除外しています。

たとえば「○○年に富士山が噴火する！」「△△年に巨大地震が来る！」といったこ

とは、もはや未来予測というより予言。ファンタジーになってしまいます（笑）。

ただし、厄災ではありますが、２０１９年後半より出現した新型コロナウイルスについては執筆中の今計算に入れることが可能なので、未来に与える影響を書き記していきたいと思います。

■未来は加速度的（指数関数的）にやってくる

コンピューターは人類にとって比較的新しい産業です。10歳頃からコンピューターに触れてきた僕は、その進化のスピードについても体感することになりました。

毎年のように新機種が発売されるコンピューター。その性能はムーアの法則といって1・5年で2倍に伸びるというのが続いています。

この成長率を「量子コンピューター」がさらに加速させます。量子コンピューターについては、後章で詳しく触れていきます。

毎年1・5倍ずつ上がる性能をグラフにすると、その曲線は弓の弧のような形状を見せ、それは加速度的な進化を物語ります。

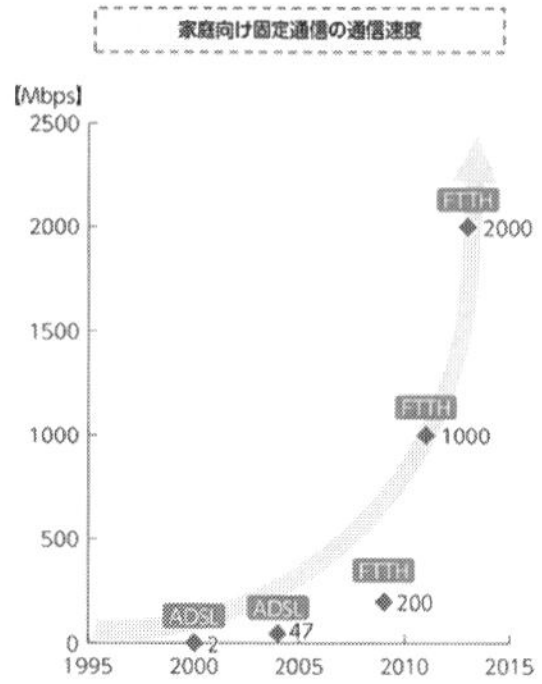

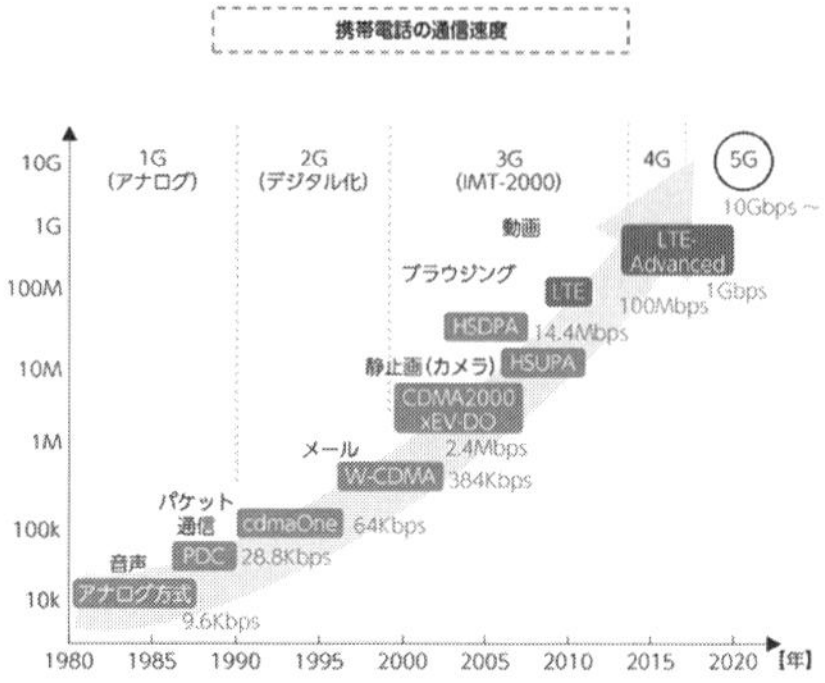

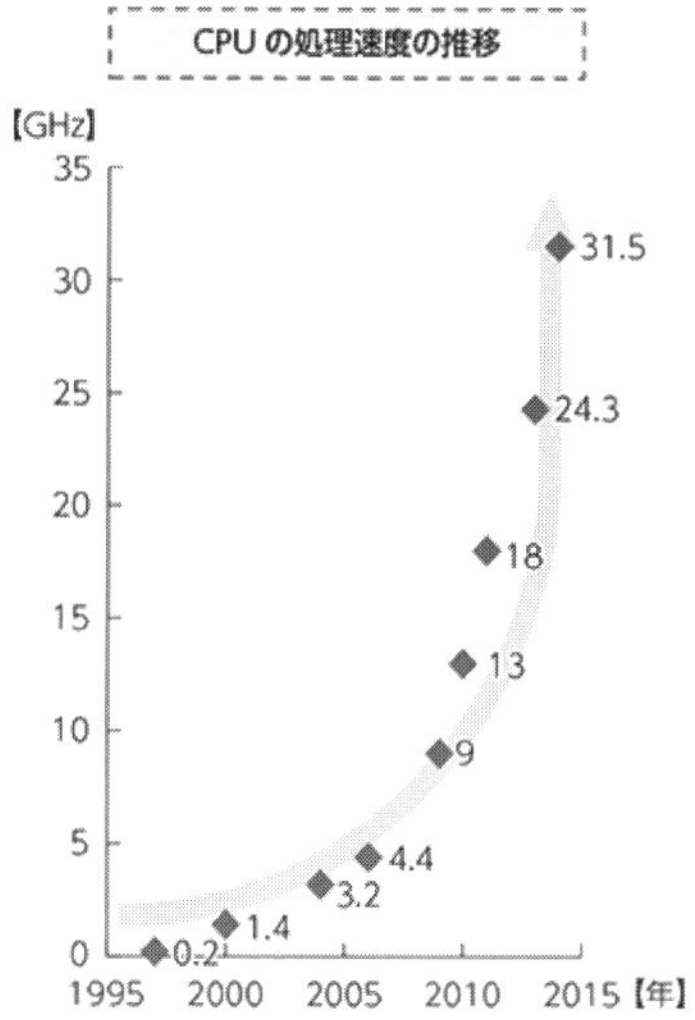

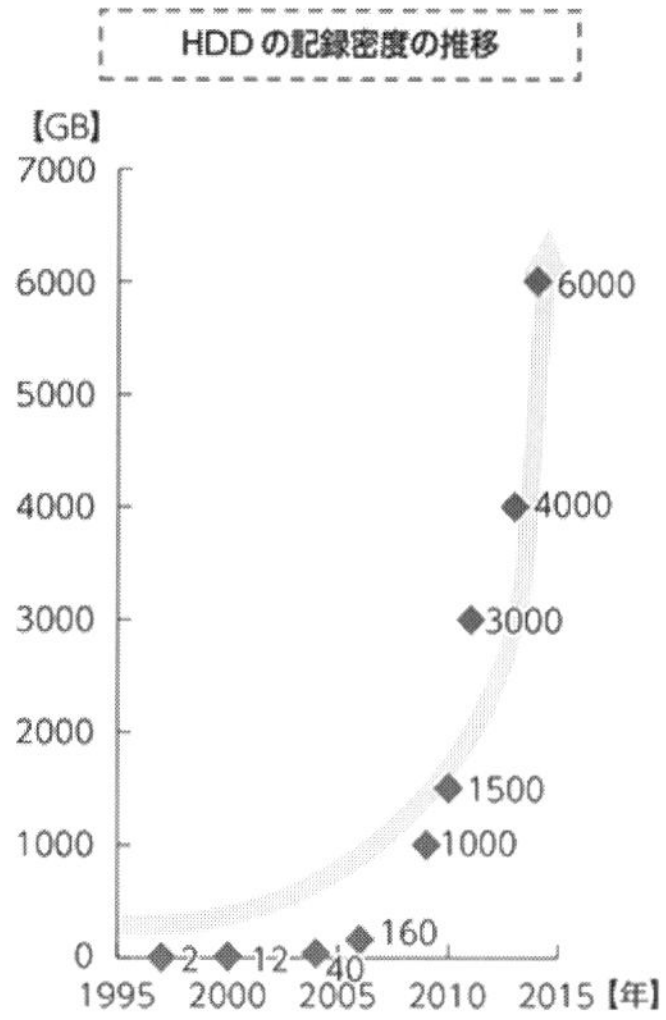

（出典）総務省『通信自由化以降の通信政策の評価とICT社会の未来像等に関する調査研究』（平成27年）

この加速度的な図を指数関数といい、今、あらゆる分野が指数関数的な進化を示しています。

前ページの図表をご覧ください。コンピューター技術や、回線速度がキレイな弓の形、加速度的（指数関数的）な動きで進化しているのがわかります。

人を乗せて運ぶ自動運転ドローン技術や、量子コンピューターの実現まで、かつてSF小説で読んだような技術が、今やどんどん実用化されつつあります。

ですが、自分の普段の生活を考えてみると、映画のような近未来観って感じにくいのではないでしょうか。

未来予測を聞いたとしても、「パソコン、テレビ、車、携帯などすごくはなったけれど、このグラフのような曲線を描くほど、今後、世の中って変わっていくのかなぁ」「ほんとに近未来で何もかも変わるの？」と感じると思います。

確かに、未来予測にはイマジネーション能力が要求されますが、空想と現実で一番ズレるのが時間軸です。

たとえば、映画『バック・トゥ・ザ・フューチャー２』で描かれた未来は２０１５年ですが、劇中では空を飛ぶ自動車、立体的に飛び出す看板、サイズを自動調節してくれる衣服やシューズといった技術もあり、その発想に2021年の現代でも追いついていません。

本書では、この時間軸のズレが出ないように、**指数関数的な技術の進化スピードも計算に入れて未来を算出していきます**。

ちなみに『バック・トゥ・ザフューチャー』のドックは、2015年で完璧に髪の毛をフサフサにしていましたが、現時点で完璧な毛髪再生はできていない（笑）。

ここまで、少し技術について触れてきましたが、この世は人の世。あくまで人間が作り出している世界です。

技術や機械は加速度的（指数関数的）に進化できても、人の考えや生き方まで加速度的に変わるわけじゃない。先ほどの『バック・トゥ・ザフューチャー』に出てくる技術にしても、正確には発想が追いついていない、というより、できるけれど変えていない、という言い方が正しいんです。

ですから、どんな技術革新についても、人の考え方や価値観がネックになってくるのは致し方ありません。

では、人の考え方（概念）はどのようにかわっていくのか。

次に人の考え方（概念）がどんなスピードで変わっていくのか、年代別のジェネレーションを感じるお話をしていきたいと思います。

■ジェネレーション（世代）による概念の違い

「今時の若いヤツはなぁ〜。オレの時代はなぁ〜」なんて語っているオヤジがいたりしますが……、ここで語るのは、まさにそのジェネレーションについてです。

過去のジェネレーションギャップを見ると、未来の逆ジェネレーションギャップが見えてくる。

たとえば、現在47歳の僕が小学生の頃（1980年代）は、一端の大人がマンガを読んだり、ミニカーを集めたりするなんてことは、ほとんど見られませんでした。

大人は新聞を読み、趣味といったら盆栽や釣り、将棋や囲碁だったのです。

ところが、今の大人は普通にマンガを読みますし、ガチャガチャと呼ばれるカプセルトイを職場のデスクに並べている人もゴロゴロいます。

昔の大人はしなかったのに、なぜ今の大人はマンガを読むのか。

その理由は、小学生のころに『週刊少年ジャンプ』（集英社）を日常的に読んで育ったからです。さらには、ミニカーやキン肉マンシリーズのキンケシも大流行して、誰もが子ども時代に一生懸命集めていたからです。

だから、成長してもそうした習慣を持ち続けることへの違和感がないのです。

今、新聞紙を毎日読んでいる70パーセントは、50代以降です。

すると、電車の中で、新聞紙を小さくまるめて読んでいるのが、60代前後。

ケータイでマンガを読んでいるのが、40代前後。

20代前後の若者は文字なんて読みません。映画ももはや字幕より音声吹替を見たがるのが多数派。電車の中では、当然ＹｏｕＴｕｂｅ（ユーチューブ）やＴｉｋＴｏｋ（ティックトック）などの動画を閲覧しています。

エンタメへの価値観がもっともジェネレーションを表すといってもいいでしょう。

■音楽産業から見える世界

そうしたジェネレーションによる価値観の変化は、音楽産業を見てもおもしろい事実がわかります。

知人の芸能関係者から、「岡本さん、今や演歌歌手が歌っても、来るお客さんはメイン80代なんですよ。70代でも集まりにくい」と聞かされたことがあります。

確かに、僕の両親は70代ですが、「ＹＡＺＡＷＡでロック」「かぐや姫でフォークソング」という世代なんです。

さらに、音楽の認識についても世代によってまったく違います。

「聞く時代」から、「歌う時代（カラオケ）」へ変わり、今や「使う時代」になっている。音楽は聞くものから、今は一般人が使う時代に変化したのだ。すると、未来の音楽はどんな形になるのでしょう。

その答えは、写真の歴史をたどってみると、そこにヒントがありました。

90代	小唄・民謡世代
80代	演歌・歌謡曲世代 （北島三郎／美空ひばりなど）
70代	ロック・フォーク・グループサウンズ世代 （矢沢栄吉／かぐや姫／ザ・タイガースなど）
60代	J-POP 世代 （浜田省吾／ピンクレディー／西城秀樹など）
50代	本格的アイドル世代 （松田聖子／中森明菜／小泉今日子など）
40代	クラブミュージック世代 （TRF ／安室奈美恵／ globe など）
30代	インディーズバンド世代 （Hi-STANDARD ／ MONGOL800 など）
20代	動画視聴世代 （YouTube など）
10代	動画参加・加工世代 （TikTok など）

写真に関する認識の変化は、「見る時代↓撮る時代↓盛《も》る時代」と変わってきました。

しかも、工程が増えているにもかかわらず、専門家だけが写真を撮れた時代から、今ではスマホで簡単に写真を盛る時代に変わり、普及度は逆に上がってきているのです。

「与えられたものを聞く、鑑賞する受動的時代」から、「使う撮る能動的時代」へ。さらにプリクラから始まった「撮った写真を加工して盛る時代」へと、より積極的時代へ変化したのです。

つまり、音楽もごく近い将来、自分でアレンジする時代そして、バーチャルにコードを選んで作り出す時代へシフトしていくことが容易に想像できます。

ちなみに、こういった分野を完成させるのに必要な技術のひとつがＡＩ、エンタメに使われる人工頭脳なのです。

■新型コロナウイルスが変えた社会

いまだ収束が見られない新型コロナウイルス（以下、コロナ）。世界に与えた衝撃も大きかったが、後の世に与える影響も無視できません。

コロナのように、人と人が同じ場所にいることで感染するような危機については、特にITを進化、一般化させる理由としてピッタリ過ぎました。

通信回線も4Gから5G（第五世代）となって、Zoom（ズーム）のようなビデオ通話アプリが主流となり、すでに人々はそれに慣れてしまいました。むしろ自粛期間では会うことそのものが失礼。

市場には顔が美しく映るビデオカメラや照明機器といったものが出て、人気の商品は品切れ状態が続きました。

ここで、テレビ電話改めビデオ通信の進化のポイントがやってきます。

まず、今まではビデオ通信は、画質をひたすら追い求めていました。

ところが、ある一定の画質さえ担保されれば、僕らユーザーが本当に求めていたのは、超完璧にキレイにカッコよく見える自分を相手に見せることであって、現実そのままは、見せたくないのです。

ここで、**ビデオ通信は写真の歴史と同じ流れをコピーしたようにたどります**。

写真の歴史が「見る時代↓撮る時代↓盛る時代↓バーチャルキャラ時代」だったように、ビデオ通信は、「撮る時代↓キレイに映す時代↓飾る時代↓盛る時代」ですね。

キレイに肌を加工します。そして、背景をバーチャル背景に差し替え飾ります。そして、リアルタイムで顔を小顔に、目元をパッチリにして、顎《あご》もスッキリ……。技術でこれが、許される文化にまでなって行きます。

なぜなら、コロナという緊急事態に対して、「お前、会議アプリで背景変えるなよ！顔盛るなよ！」とは上司も面接官もクライアントも友だちも、みんな言いにくい状況になっているからです。

もう数年もすれば、「顔を盛る文化」から、「もう自分の顔である必要はまったくなくないか？」ということでバーチャルキャラクターへと進化するでしょう。

数年先のビデオ通信やあるいはAR（拡張現実）の世界では、特殊メガネに相手の顔が投影されて、それを見ながら通話できるというガジェットが一般化するでしょう。このときに見る相手の顔は、リアルタイムで撮影している顔ではなく、相手が設定したお気に入りの写真（加工し表情を合成させた動くアバターのようなもの）が主流になっている可能性が高いです。

すでに、iPhone（アイフォン）では、バーチャルキャラクターと顔のシンクロを可能にしているコンテンツが人気を博しています。そういう意味で、このコロナ騒動が、おもしろいビデオ通信時代を加速させ、顔盛り文化とバーチャルキャラクター時代到来まで加速してくれたと思っていいでしょう。

■エンターテインメントが最強な理由

世界の求める力は、時代と共に変化します。

19世紀、武力の時代。
20世紀、経済力の時代。
21世紀、情報力の時代。

16世紀以降、海洋インフラが整い世界が繋がっていったことから19世紀には、世界中を巻き込んで武力で奪う時代になりました。

20世紀も中頃には、2度の世界大戦を経て、武力による戦いの反省から経済を優先する時代へと変わり始めます。

この日本でもそう。敗戦が決まり、次の時代は武力でなく経済力の時代だと上層部はわかっていたからこそ、それまで戦力に全力を注ぎ込ませていた国策企業を経済団体連合会と変え、この国を高度経済発展させてきたのです。

経済、お金がたくさんあれば、強く高性能な武器も買える。逆に経済を止めてしまえば、どんな国でも武力行使することなく沈めることができる。北朝鮮のように、他国からの経済封鎖のみで国民が苦境に立たされるのを目の当たりにする時代です。

そして、経済優先の仕組みはどんどん広がり、大量生産、大量消費が常識となりました。そのおかげで二酸化炭素の排出による気温上昇、PM2・5、酸性雨、マイクロプラスチックによる海洋汚染などの地球規模での公害問題を招くことになりました。生産性や消費速度を上げて国力を底上げするためには、どんどん効率化する必要があります。いかんせん全人類に共通して、一日は24時間しかないのですから、とにかく効率化するしかないのです。

すべては時間と労力の短縮のために、便利を追求する商品とサービスを作り出すこと。掃除機、洗濯機、携帯電話、コンビニもパソコンもすべてそれに当てはまります。20世紀の後半は、まさにこの便利を求める開発競争だったのです。便利さを追求するための消耗戦。そして、たどり着いたのがストレス社会といえるでしょう。

しかし、原点に立ちかえって、何のために武力が必要で、何のための経済力なのか、と考えてみるとすべては「幸福な人生のため」だったはず。

幸福な人生にするために必要な土地や食料を戦争で奪う時代だっただけなんです。やがて経済を蓄えることで幸福を手に入れる時代となりましたが、社会の目的が幸福な人生であることには変わりありません。

その手段を増やすために便利さを追求し、消耗戦から至ったのが、ストレス社会というわけです。

そうした**ストレスと向き合う産業こそが、エンタメ産業**なんです。

たとえば、スポーツやゲーム、音楽などの趣味から便利が生まれることはないし、むしろ時間と労力と経済を浪費することになる。対して、一時の幸福な時間が手に入る。

20世紀が、便利さの追求のための経済活動が主であれば、21世紀のこれからは、幸福の追求のための産業が巨大化することになり、本格的に幸福を追求するサービスを提供できる企業が多くの経済を手に入れるでしょう。

昔、といっても26年ほど前、僕が20歳ではじめて就職したのが、コンピューターゲームの業界でした。

当時会社は、プレイステイション（初代）とセガサターンの開発をしていました。

バブルがはじけたあとであり、就職氷河期とも呼ばれた時代、人生の先が見えなくて、ましてや衣食住とは関係ないゲーム業界、経済から真っ先に切られると思っていた僕は、「僕らの業界って真っ先に仕事がなくなる気がします。将来が不安です」と、会社の幹部に不安をぶちまけたことがありました。

すると幹部から驚きの言葉が返ってきたんです。

「おい！　エンタメ業界は最強なんだぞ。人は食事代をケチってもパチンコには行くし、家が多少古くてせまいとしても、買い物を趣味にしたり、風俗へ行ったり、お酒を買ったり、ゲームにならお金を使うんだ」

実際、振り返るとエンタメ産業は、拡大し続けてきたのでした。

オタク化する世界

では、21世紀の幸福を追求するサービスや商品は、いったいどこからどうやってスタートするのでしょうか。

先ほどお伝えしたように、衣食住が足りたストレス社会では「遊・健・美」、とくに人は遊びというエンタメにお金を使います。

そして、この世には、定職も持たず、遊びが大好きな「遊びのプロ」が存在します。それは、子どもたちです。

成熟した社会では、幸福を求めて大人が遊びにお金を使い始めたとき、社会は大人としての責務をまっとうすることより、「子どものように遊びたい」と思い始めるのです。

これが未成熟な大人が増えるモラトリアム社会。

昨今の『鬼滅《きめつ》の刃《やいば》』(原作・吾峠呼世晴/集英社刊)にまつわるブームも、本来、子どもが対象のエンタメにもかかわらず、大人が本気で製作、鑑賞することから、「劇場版」は鮮血飛び交うPG12の映画になってしまいました。

だが、本来は『週刊少年ジャンプ』から原作がスタートしている通り、マンガやアニメは子どもがターゲットのはずです。

では、なぜ今、世界中でアニメが市場を得ているのか。それは大人向けのアニメが出たからでなく、**大人が子ども化(モラトリアム化)しているから**。

もはや、21世紀のオピニオンリーダーともいうべきアーリーアダプターは、小学生という流れができてきます。

いや、言い方を変えると、「子ども化した大人」かもしれません。

おもしろいことに、こうした流れを計算すると、今から10年以内に各家庭にほぼコスプレ衣裳がある状態になる未来が予測できます。

実例では、2018年にリリースされたFoorinによる『パプリカ』という曲。これは歌うのも子どもなら、流行させたのも一般の子どもたち。結果的にそれが大人へ派生する、という社会現象であり、非常に現代的だと感じていました。

今後はさらに、趣味に情熱を燃やす大人、つまりオタクがオピニオンリーダーとして時代を引っ張るでしょう。世界がオタク化するともいえますね。

■日本人が作るエンターテインメントの影響力

西洋のアニメには、一神教らしい勧善懲悪が反映され、善は善、悪は悪という構図がわかりやすく描かれています。

命乞いをして謝る悪者に対し、正義のヒーローが慈悲を与えてあげるが、最後は必ず悪者が裏切ってくる。ハリウッド映画の構成などは、ほぼこの流れです。

いい人が悪になると、もう二度と善を取り戻すことはない。戻ったとしても代償として命を落とします。キリスト教の聖書の中で、天使がサタンとなり二度と戻って来られなくなったのと同じなのかもしれません。

そして、正義のヒーローについては、貴族社会の思想が色濃く残っていて、王族はいつも正義のヒーローとして描かれる。

例を挙げると、白雪姫、シンデレラ、美女と野獣、眠れる森の美女……。原作はともかく、アニメに関しては王子様が女性を救う内容へと必ず脚色されていました。最近では、王族が廃れたので、バットマンやアイアンマンなど「金持ち＝正義のヒーロー像」が濃くなってきたように感じます。

西洋のマンガやアニメには、日本の昔話によく出てくる悪い殿様なんて、ほとんど出てこない。金持ち一族の王は常に正義なんです。

彼らの宗教では、労働すること自体が神に対する贖罪だからでしょう。

ところが、日本のアニメ文化は、これをたやすくひっくり返す内容です。

なんてったって**八百万《やおよろず》の神々の思想、善悪の境界線とはそもそもあいまいである、**

というのが価値観の根底にあります。だから、どんな魂であっても悪が善になることもあれば、善が悪になることもある。悪と善は表裏一体なんです。

さらに、人間が丹精込めれば物質にさえ魂が宿ると考えるから、本気でいけば相手に何かが宿る、の精神がアニメやマンガのストーリーにも反映されています。

たとえば、『ドラゴンボール』（原作・鳥山明）や『ワンピース』（原作・尾田栄一郎ともに集英社刊）は、主人公と敵が出会い、命をかけて戦います。悪であった敵と本気で一戦交えたことで、魂が触れ合い、いったん仲間になったら、その後、主人公を決して裏切らない最強の味方となる。

アニメやマンガのようなエンタメは、世界に伝わるのも簡単です。なぜなら、争いを産むそれぞれの立場に立った正義の主張ではなく、互いの楽しみの共有だから。

ですから、こうしたアニメやマンガを海外と共有することで、かつて戦争をして敵であった国々だって、「日本はもう味方だよ！　ドラゴンボールやワンピースが教えてくれた」と潜在的に理解できるんです。

敵という存在への考え方の、次元を上げてしまったんです。

また、記憶に新しい大ヒット作『鬼滅の刃』。この物語の敵に対しても、ただ悪という考えでなく、悪の奥にある、もっと深いものを見るように伝えてくれています。

話は少しずれますが、今回、『鬼滅の刃』の流行で、2つのおもしろいことが起こっています。

・ひとつ目は、世界の善悪の概念の次元を上昇させたこと
・2つ目は、メディアの入れ替わりを実感させられたこと

実は、今までのアニメ作品と『鬼滅の刃』には、決定的に違う要素があるのです。

本作品の舞台は大正時代の日本。そこには鬼と呼ばれる魔物がいて、鬼は人を襲っては食べています。

物語は、主人公である竈門炭治郎《かまどたんじろう》の家族が、鬼によって皆殺しにされることから始まります。唯一生き残った妹の禰豆子《ねずこ》も、鬼の襲撃を受けた際にその血を浴びて鬼と化してしまいます。禰豆子を人間に戻すため、主人公の炭治郎は旅立ち、鬼を退治す

る『鬼殺隊《きさつたい》』へ入隊し、過酷な現実を歩み始める、というストーリーです。

主人公の敵である鬼は、元は人間です。突然、未知のウイルスに感染したようなものなのですね。鬼となった瞬間に人から追われ殺される運命となり、その日から人の血肉を食べずには生きていけず、太陽を見ることもできなくなる。あまりにも不条理です。

つまり、鬼である敵は単なる対戦相手ではなく、「何かの被害者」かも知れないと訴えてくる。この考え方や気づきが、世界に受け入れられているのではないでしょうか。悪い者、異形の者、違う考えの者を単純に敵視して「やっつけてしまえ」という思想から、敵かもしれない相手をもっと深く理解し、ときに「許して認める」。そうした客観的な視点が必要だと訴えてくるものになっています。

自分とは違う他者（他国）を見る次元がまた変わる日本的な概念。日本が世界に伝えたいこうした概念は、エンタメを通じて世界へ広がっていくはずだと、オタクな僕は思っています。

■メディアの入れ替わり

この『鬼滅の刃』のブームでは、メディアの入れ替わりを実感させられることになりました。

メディアは、20世紀から「新聞→ラジオ→映画→テレビ→ネット」と影響力の強いメディアが、新しい媒体へと変化してきました。

特に20世紀のテレビから21世紀のネットへの変化を語る上で、先ほど触れた『鬼滅の刃』がおもしろいことを教えてくれます。

というのも2018年にテレビ広告とネット広告の規模が、ほぼ横並びになり、2019年にはネット広告の規模がテレビというメディアを上回ってしまいました。

そして、2020年公開『劇場版「鬼滅の刃」無限列車編』では、それまで映画を出す上で協力を欠かせなかった広告代理店大手（電通、博報堂など）、それどころか、テレビ局すらも外し、製作に関しては、わずか3社（集英社・アニプレックス・ufotable）だけです。

「もう、テレビや新聞、ラジオに強いメディアや広告代理店の力はいらない」と言わんばかりに貫いています。

映画の内容はテレビアニメの続編であるにもかかわらず、日本国内興行収入は不動の『千と千尋の神隠し』『タイタニック』を抜いて、歴代1位となりました。

しかも、テレビアニメが放映されていない海外でも記録的な売り上げを叩き出している。

このことからもわかるように、ＹｏｕＴｕｂｅやＮＥＴＦＬＩＸ（ネットフリックス）のようなネットメディアの普及があるために、必ずしもテレビ放送やテレビコマーシャルがなくてもヒット商品を生み出すことができる時代となったのです。

そして、僕がビックリしたのは、あるゴールデンタイムのテレビ番組で、『鬼滅の刃』についてタレントが話題にして盛り上がる中で、正々堂々と映画のマイナス要素までが話されていたことです。

かつてテレビこそが映画の広告塔の主力であった時代には、映画のいいところが不自然に語られて、それをいじることはあっても、否定することはタブーでした。

こうした対応の変化からしても、テレビ局が『鬼滅の刃』に対しお金を出していないというのが伺えるし、逆にテレビのほうが視聴率欲しさに、流行りの映画をネタにしているという点に、時代の入れ替わりを感じるからおもしろいんです。

そういえば、かつてエニックス（現スクウェア・エニックス）が発売した『ドラゴンクエスト3』が社会現象にまでなったとき、「ドラクエの広告費はゼロ円」というのを知って「マジかっ⁉」と驚いたことがありました。

なぜなら、その前作にあたる『ドラゴンクエスト2』が売れまくっていたので、雑誌などのメディアは「ドラクエ情報」を載せるだけで部数が増える。各出版社、当然新情報を載せたいわけです。

エニックス側は「最新作をほめて、特別扱いしてくれるところだけに情報出すよ！」という超絶上から目線の宣伝戦略が成立していたはずだからです。

それにもかかわらず、そうしなかったところに、先ほどの『鬼滅の刃』に共通する理念を感じます。

すでにメディアがコンテンツを売る時代から、コンテンツがメディアを食わす時代へ変わっているともいえるんです。ポータルサイトのすべてがまさにそうです。今後、ますますコンテンツ産業が強くなり、それが経済のキーポイントになってくるでしょう。

事実、『鬼滅の刃』の映画にかかわったアニプレックスはソニーの子会社でありますが、映画が公開された2020年にソニーは、米経済誌『ウォール・ストリート・ジャーナル』で世界5500社から選ぶ、世界最高の「持続可能な経営企業」のひとつに選定されています。

この要因として、ソニーピクチャーズの持つ映画コンテンツや、アニプレックスの持つアニメコンテンツが高く評価されているのがわかります。

世界のあらゆる分野で、技術と文化が混ざり合い、人がめんどうだと感じることは、自動化もしくは代行されるようになり、幸福に繋がることのみを自分でするようになる。

そんな各種産業・技術に特化した未来予測の情報に関する出版物は多数出ていま

す。

しかし、あらゆるものが混ざり合い、総合して起こる現実世界は、そうシンプルでもないはずです。

技術と文化が、どう混ざり合い、未来のどのタイミングで、どんな流行がくるのか、未来は、混ざり合いどんなカオスでリアルな姿を見せるのか、どのタイミングでどう動くのか。

次章では、そうしたことについて触れていきます。

CHAPTER 02

近未来に起こる世界の変化

■有料総合情報サービスの世界がくる

今後、情報化社会の情報量は、今よりさらに加速度を上げて増えていくので、これまでのように無料で情報を与えられていた現状から、**近い将来、間違いなく『有料総合情報サービス』を大多数の人が利用する世界へ移行していきます。**

今、携帯がなくなったら生活できないのと同じくらい、近未来、有料総合情報サービスが人々の生活の中心になると断言できます。

どうしてオタクはそう言い切れるのか。現状の情報サービスを理解するところから始めましょう。

現在、GAFA（ガーファ）と称される、米国のグーグル、アマゾン、フェイスブック、アップルの4社については、業態は違うように見えますが、実質はいずれも単なる**「広告屋さん」**であるといえます。

たとえば、グーグルの検索トップページを見ても、その大部分が広告です。広告があるおかげで、誰もが無料で検索システムを利用させてもらえるのです。

さらに、検索トップページから2ページ目の終わりまでは、すべてＳＥＯ（サーチ・エンジン・オプティマイゼーション）であり、美容整形のような優良ジャンルで検索の一番トップに自分の病院を出そうとすれば、毎月ＳＥＯ代だけで1億円の費用がかかります。年間12億円ですよ。

「焼肉」といったワードでも、自分のお店のウェブサイトをトップページの上位に出すためには、月額50～１００万円くらいの費用がかかります。グーグルが広告会社であることが明らかです。

続いてアップルはどうかと見ていくと、たとえば携帯端末そのものを売る事業というのは20世紀で終了しており、現状、アップルの正体とは、他社のアプリや音楽を売りやすくするプラットフォームの提供会社、すなわちプラットフォーマーです。プラットフォーマーは、広告会社そのものであるといえます。

また、フェイスブックを含むＳＮＳはすべて広告で成り立っているし、アマゾンも自社で製品は作っておらず、あくまでも「よく一緒に購入されている商品」「この商品をチェックした人はこんな商品もチェックしています」という、レコメンドエンジンで事業を成り立たせています。つまり、アマゾンもプラットフォーマーであり、広告なのです。

ＧＡＦＡのすべてが広告。それどころか、今あるネットサービス、ポータルサイトのほとんどが広告で成り立っているんです。前章で触れたコンテンツがメディアを食わすということです。

今後、情報化社会の情報量が加速度を上げて増えていく中で、情報サービスのすべてが、実際は広告であるという状況では、本当に価値のある情報を手に入れることは至難です。

そうなったときに、じゃあ何が出てくるのかというと、それが無料広告の真逆にある、有料総合情報サービスなのです。

具体的には、**現在スマホを持っている人のほとんどが、２０３０年までにひとりあたり月額１万円くらいの有料総合情報サービスに加入しているでしょう。**

これは、携帯電話普及時よりも、大きくて、しかも、超楽しい時代の変化です。

あ、もしかして、「でも、日常の何気ない情報に、月額１万円も払うかな」と思ったりしました？

想像してみてください。携帯電話がなかった時代に戻って、そのときの自分に「将来スマホっていうのができてさ、月額1万円くらい払って持ち歩くんだよ」と教えたら、びっくりされること間違いないですよね。

でも、今では欠かせないもの。忘れて家を出たら、取りに戻るくらいのものです。じゃあ、月額1万円支払って持ち歩くスマホが、僕らに与えてくれるものって何でしたっけ。

そう、情報以外の何ものでもないんです。あらゆる情報がつまった端末です。情報は命の次に大事なものなのに、それがお金でやり取りされている広告だけしかないなんて。そう考えたら、もっとも効率よく、品質のいい情報が手に入るサービスが確立されれば、誰もが利用するに決まっているんです。

有料総合情報サービスは、スマホなど比ではないくらい生活の基盤になりうる存在です。

「携帯がなかった時代って、どうやって待ち合わせしていたっけ」と今思いますよね。それよりももっと強烈に、「有料総合情報サービスがない時代って、どうやって生活していたんだろう」という意識にあっという間に変わります。

それほどの新時代を有料総合情報サービスが作り出していくんです。

では次に、有料総合情報サービスとは、具体的にどういったものなのかを見ていきます。

■有料でも生活に欠かせないサービス

ＣＭなどで見かけたこともあると思いますが、遠く離れたところにひとりで暮らす高齢の親を心配して子どもが加入する、『見守りサービス』をご存じでしょうか。

大手セキュリティー会社も宣伝していますが、現状では、元気に暮らしているかを知らせるだけのものばかりです。

ですが、今後、この見守りサービスは10年ほどで、高齢者の見守りから子どもの見守りへ、そして一般個人全見守りサービスへと一気に進化し、有料総合情報サービスが取り込んでいくことになります。

「え？　老人でもないし、別に見守ってもらわなくても……」と思う人もいるでしょうが、これから世界は大きく様変わりしていきます。

今後は、専任のオペレーター（OP）が、日々「御用はございますか？」と連絡をくれ、もっとも信頼できる話し相手になります。誰もが優秀な執事や秘書を持つような感覚で生きるようになるのです。

これは僕の体験談なのですが、以前自宅で手首をぶつけてケガをしたことがありました。時間は深夜で、近所のクリニックは閉まっています。

でもひどい痛みで、「もしかしたら骨が折れているかも……」と不安が募ってきました。

そこで、よく行政から案内される「夜間・休日救急電話相談」のようなところへ、電話をかけたのです。

すると、「コチラハ夜間・休日救急電話相談デス」という、無機質な音声案内が始まりました。

「○○市にお住まいの方は01、△△市にお住いの方は02……」。

「えっ……、おれの住んでるとこってゼロ何番よ……」と、ひたすらその案内を聞いていました。やっと進んだかと思うと、今度は「形成外科をご利用の方は01、整形外科をご利用の方は02……」って、もうどっちかわからんわっ！

これが現状で、病気やケガじゃなくても、家電メーカーのサポートに問い合わせて、同じような目にあったことありませんか。

公共サービスなどの契約変更なんかを電話やウェブでしようとした暁には、半日作業になってしまいます。

こうした面倒の極み、とも言える作業が、あなたの人生から一切なくなるとしたら、どうでしょう。

実は有料総合情報サービスに加入していれば、オペレーター（ＯＰ）への電話一本ですべてが解決される日常に変わるのです。

「あ、もしもし。あの、手首を痛めちゃったんですが……」

OP「かしこまりました。すぐに現在受診可能な病院をお調べします。……ご自宅から15分ほどのところに整形外科医が勤務中の緊急外来があります。病院への連絡はすでに済みましたので、2分後にご自宅の玄関前に到着するタクシーへお乗りください。ドライバーへは行き先をお伝えしてあります」

また、別の日には……、

「あ、もしもし。あの、○月○日から2泊3日で、ちょっと家族で旅行に行きたくて。子どもたちが遊べるプールがついていて、ビーチにも5分くらいで行けて、夕食は部屋出し、カニが食べられて、赤ちゃん連れだからベビーベッドと離乳食、ミルク用の保温ポットとおむつ専用ごみ箱も用意してもらえると助かるんですが……」

OP「かしこまりました。……条件に合ったお宿が3件見つかりました。お好みのお宿をお選びください」

と、予約から決済まですべてを行ってくれます。あなたは当日ホテルへ到着すると、名前を伝えるだけでホテルのコンシェルジュが部屋まで案内してくれる。帰りも「お世話になりました」と伝えるだけで、手続きしなくてもそのまま帰ってこられます。

有料総合情報サービスが始まれば、日常のすべてをこのように解決できるようになるのです。

◎検索エンジニア……物事を調べる専門のオペレーター
◎ショッピングオペレーター……ショッピングだけを専門とするオペレーター
◎個人アドバイザー……ユーザーへ見守りサービスを提供。ユーザーのモチベーションを上げ、生活のアドバイスを専門とするアドバイザー

近未来には、こうした新しい職業が増え、ＡＩが人と同じレベルの意思を持つまで、人間の頭脳とハイブリッド化して未来へ繫がっていくでしょう。

さらに有料総合情報サービスは、ネットセキュリティーに関しても、レベルを上げ

る立役者になります。

ネット上でのいじめや誹謗中傷に苦しめられている人が、法的な手段に訴えるなんてニュースが時折あります。これも、結局いたちごっこであることは否めません。

ですが、有料総合情報サービスが提供するSNSであれば、そもそも誹謗中傷してくる人がいれば、オペレーターに相談するだけできちんと審査してくれて、悪質であれば相手のアカウントを閉じてもらうことも可能なのです。

そんな環境下では、悪質なネットいじめや誹謗中傷も起きにくく、被害を受けてもダメージを最小限にできるから、安心して利用できますね。

■決済がなくなる日

先ほどの例で少し触れましたが、有料総合情報サービスの拡大は決済レス社会、ペイレス社会を進めていきます。

「決済しないで、どうやって買い物をするの？」と思われる方もいると思いますが、すでにビットコイン含む仮想通貨は2021年現在、主要銘柄のみで2000種類を超えています。国連加盟国が２００カ国ないのに、その10倍以上ですよ。

さらにＩＴサービス事業者の多くから、「〇〇ペイ」と名のつくＱＲコード決済が出されていますよね。


ずばり、問いたい！　これ、全部使いこなせています？


現金振り込み決済、カード決済のほか、国を上げてのキャッシュレス推進によって、増えるキャッシュレス決済！

コンビニ全店舗で通貨を変え、ショッピングモールすべてで通貨を変え、タクシー乗るにも「ペイペイ？　え、それ以外のペイ？　ＧＯペイってなんだっけ？」という時代。

ペイペイ、楽天ペイ、メルカリペイ、エアペイ、アップルペイ、グーグルペイ、アリペイ、ａｕペイ，ＬＩＮＥペイ、ｄ払い……。もはやスマホに「ペイ専用フォルダ」が必要で、どのペイに、何ペイあるのかも謎です。

さらに、ネットショップの数は増え続け、それに応じて決済の仕組みも増え続けてきました。

あらゆるサービスがネット上で決済されていくことで、サービス部門のサイトも増え続けています。

たとえばホテルの宿泊ひとつにも　楽天トラベル、るるぶ、じゃらん、トリバゴ、トラベルコ、Ａｇｏｄａ（アゴダ）、ＡＩｒｂｎｂ（エアビーアンドビー）。あらゆるサイトに登録済なのではないでしょうか。

最近ならホテルへ直接問い合わせたほうが安いということで、「アパホテルや東横インにも登録済です」という人も。

決済サービス一つひとつに登録し、その都度「お名前・メール・郵便番号・住所・電話番号・カード番号・セキュリティーコード」を登録していく。はたして、いくつのサービスに個人情報をぶちまけたのか。それさえ把握できないレベルです。

これがいつまで続くと思いますか？　10年先？　20年先？　それとももっと先？

いいえ、これは長くは続きません。

今後たった5年ほどでこうした決済の複雑化はどんどん薄れ、**有料総合情報サービスの中で決済代行をさせることが当たり前**となるのです。物事の支払いは、有料サービスとのみ契約すれば、あとは決済代行ですべて済みます。

それにより、カード情報が抜かれる確率も今よりはるかに小さく、安全になっていきます。

さらに「実店舗×有料総合情報サービス」も今後増えていきます。

似ているものとしては、すでに実験運営されているＡｍａｚｏｎ Ｇｏ（アマゾンゴー）のような、新型店舗サービスのやり方。商品を店で取り、そのままポケットに入れて店から立ち去るだけ。

店内のカメラとＡＩ、ケータイのアプリが連動してアマゾンアプリで自動的に決済を終える。ゲートを通るセキュリティー条件は、アプリがオッケーな条件を満たしてさえいればいいんです。

だから購入しても「よし！　○○円払ったぞ」という感覚は薄れます。システムが便利になるとどう変わるのかというわかりやすい例ですね。

ですが問題点として、実店舗にはそれぞれの囲い込み欲求があるので、きっとペイ同様に各店舗で決済用のアプリや方法を指定してくることでしょう。

でも、今後はどんなに指定されても、有料総合情報サービスに加入している消費者には一切関係がありません。

ユーザーはどこの店舗で購入しようと、料金は自分が契約している有料総合情報サービスに自動支払いするだけ。あとは、店舗と有料総合情報サービス間のやり取りがあるだけなので、ユーザーにとってこれ以上シンプルで無駄をなくせるものはありません。

たとえ今後も、電子マネー、暗号通貨、○○ペイ、カード決済、現金支払いという数々の決済が存在したとしても、関係ないのがいいですね。

こうして、決済そのものを意識しなくなる社会へ急激に舵をとり始めます。

政府が進めるキャッシュレス化の先にある暗号通貨。さらにそのもっと先にあるのが決済代行サービス。数年後には主流になるでしょう。

これからは自分でやる時代から、他人（もしくはＡＩ）にさせる時代へシフトするのです。

やがてあらゆるものを代行させるようになると、今ある電子マネーのような存在は徐々に数を減らし始めます。最終的にはわかりやすい単位としてのみ存在するようになります。

２０２５年あたりでは、「ペイレス社会」などといって、マスコミもはやし立てるでしょう。

■物質世界から仮想世界へ

未来といえばバーチャルリアリティー（ＶＲ）という感じがするので、ここ近年のＶＲについてお話ししたいと思います。

一般的に、いわゆる仮想現実（ＣＧでできた架空の世界）を、ＶＲといいます。ＶＲを使ったアトラクションや、美術館のバーチャルツアーなども人気です。体験したことがある人も増えてきたのではないでしょうか。

映像技術としてVRよりよく目にするものでは、現実世界を拡張するという意味のAR（拡張現実）があります。現実＋CGが同居している映像です。

たとえば、ニュース番組のスタジオにCGで作ったパネルやトピックを合成したり、古墳などを紹介する歴史番組で、そこに昔あったと思われるお社のCGを古墳に合成したりするものなど、ARは日常的によく見ていると思います。

そういえば、『ドラゴンボール』の中で、異星人が片目に装着している『スカウター』という緑色のガジェットをご存じでしょうか。相手を見ると戦闘力が数値で表示される。あれなんかは、まさにAR技術そのものです。

さらには、スマートフォン向けゲームアプリ『ポケモンGO』で使われている、カメラアングルの中にモンスターを映し出すモードも、実体験できるAR技術！

ARの他にも、別の場所にいる人を、目の前にいるかのように映す技術、ミックスドリアリティー（MR）といったものもあります。

近年、仕事で映像通話を利用している人が増えましたが、そのうち映像通話にパソコンはいらなくなります。具体的な方法としては、たとえば今はパソコンに映し出している映像をメガネの内部に映し出すような技術。そのメガネをかければもう目の前に相手がいるような感覚になる、といったところでしょう。MRをもってすれば物理的距離は関係なくなります。

こうしたVR・AR・MRを全部まとめて**クロスリアリティー**（Xross Reality＝XR）と呼びます。

今後はさらに物理的な世界とデジタルな世界にあった境界線がなくなり、融合されていきます。

■クロスリアリティーの進化理論

そうしたクロスリアリティーをエンタメ分野がけん引していくことになるのは必須です。特に映画とリアルタイムプラットフォームに先に目をつけていたソニーと、その分野を狙うマイクロソフトの動きはおもしろくなりそうなんです。

ですが、こんなにおもしろいクロスリアリティーについて、もっと早く普及していいのにあまり広まってないな、と思いませんか？

その理由は、情報処理や通信速度が重過ぎて、実用レベルに追いついてなかったことが一番の原因です。

たとえば、2016年、プレイステーションVRが登場して、「VR元年」なんていわれましたが、いまひとつ一般化しませんでしたよね。

それは、飛び出す立体映像をたった5分見ていただけで、大抵の人が気持ち悪くなり、体調不良を起こしたからです。「3D酔い」という現象です。

ですが、こうした問題点も、これからの10年で劇的に改善されていきます。

【改善① 画像処理速度が劇的に早くなる】

VRは、とにかく処理が重いんです。なんせ専用のゴーグル(メガネ)に右と左、両方に違った映像を表示させなきゃいけないから、重たくなるのも当然です。

イメージしてください。CG映像に自分が反応して、頭をブルブル振ったときに、右向いたら左の映像、左を見たときには右の映像が遅れてくる。これは体感的にかなり気持ち悪いです。

高速に画面に映像を表示する単位にリフレッシュレートというのがあります。

２０１６年のプレイステーションＶＲのリフレッシュレートが約60ヘルツくらい。これは正直普通の感覚の人にとってはかなり不自然で、しばらくやっていると吐きそうになると思います。

最近のＶＲのデバイス（機械）を買ったら、だいたい平均90ヘルツくらいでした。多少３Ｄ酔いが軽減されてくる感じです。

この調子でいけば、２０２５年あたりには平均１２０ヘルツくらいが当たり前になって、これくらいになるとほぼ現実世界のスピードに近く、３Ｄ酔いは起こさなくなるでしょう。

【改善②　目と同じ機能がゴーグルに搭載される】

人間の目は、遠くの景色から近くの物へ視線を移したとき、ピントを自然に合わせています。見ていないところはピントが合っていないから、視界に入っていたとしてもぼやけているはずです。

一方、ＶＲのＣＧは全部キレイに計算しているもので、簡単にいうとすべてにピントが合っている状態。そのため、人間の目や脳は、その映像を長く見ていると疲れるため、多くの人が酔ってしまうんです。

ですがこれも5年前のＶＲの世界。

最近発売されているＶＲデバイスには、見ている先にピントを自動的に合わせるように、装着するゴーグルに自分の目の動きを捉えるカメラが設置されています。

視線の先を全部トラッキング（追跡する）して、目のように見ているものだけにピントを合わせて表示するのです。これで、また酔いが軽減されます。

【改善③　取得する情報のズレがなくなる】

高速で走る車に乗っている映像をＶＲで見ているとイメージしてください。映像は移動しているのに、現実には体の移動はありません。たったこれだけで脳は混乱して酔うのです。これは乗り物酔いの現象にかなり似ています。

これが未来はどう改善されるのか。

乗り物酔いは、平衡感覚をつかさどる内耳にある規管（俗にいう三半規管）の情報と、目から取得している映像の情報がズレているために起こる現象。だから、音声デバイスなどを使って、規管の情報を映像に合わせてしまえばいいんです。

すでに基礎となるデバイス技術はあるので、２０２５年くらいには品質が安定しているはずです。

【改善④　画質自体が劇的に向上する】

３Ｄの映像は処理が大変なので、画質がどうしても粗くなりがちでした。フルＨＤ画質であるプレイステーションＶＲですら、いつも見ているテレビを思いっきり至近距離で見ている状態と似ているため、非常に絵が粗かった。言い換えると、ピントが粗くぼやけている状態。そりゃ酔います。

ところが２０２１年現在、一般的なＶＲゴーグルはすでに４Ｋ時代（フルＨＤの４倍の画質）、さらに２０２５年には、その倍が普通になっているはずです（４Ｋモニター ツイン搭載！）。ここまでくれば、実用では問題ないくらいの「くっきり感」になります。

まあ、人間がなんなく見ているうぶ毛や指紋といったものまでＶＲ映像で見えるまでにするのは、かなり大変そうです。人間の目と同等の品質で表示するには、５億画素ほどいるからです（今主流のフルＨＤモニターで２００万画素、次世代の４Ｋモニ

ター で８００万画素くらい）。

以上４つの改善策を考慮すると、ＶＲが安定して酔いにくくなるのは２０２５年くらいになります。「いよいよ実生活への普及に入るぞ」という意味でのＶＲ元年になるでしょう。

そこからのさらなる普及までを考えると、２０３５年にはＶＲは日常生活の当たり前になっています。

■人間をトラッキングしまくる世界

２０２２年前後は、ＶＲを体験するためのヘッドマウントゴーグルが、４Ｋディスプレイ視野角１００度前後、リフレッシュシート90ヘルツ以上に、アイトラッキング機能を搭載したものが主流で進化していき、２０２５年頃には横8Ｋディスプレイ視野角２００度、前後１２０ヘルツ以上に、アイトラッキングはもちろん、フェイシャルトラッキング、指トラッキング、心拍数トラッキングなどあらゆる人間の動きがトラッキングされています。

これは、ソニーなど各社が出願している特許などからもみてとれます。

そのほかにも目の動き、指の動き、表情の動き、鼓動の動き、これらをトラッキングしまくります。

そして、酔いを消し去るデバイスからの情報と立体音響を同時に耳から入れます。

僕の予想では、2027年末頃にプレイステーション6（PS6）が発売されます。これがハードウェアとして登場する最後のプレイステーションになるはずです。それ以降は、オンラインクラウドサービスへ時代は変化するでしょう。

PS6のスペックは、パストレーシング法（ファイナルギャザリング）によりリアルな光線の表現が可能となり、さらに人間の目と脳が捉える運動視差を計算に入れた、視差マップ（パララックスマッピング）が搭載されるはずです。

それにより、PS5では、輪郭線にポリゴン特有の直線がわずかに見られたものが、PS6では自然な凹凸や、肌のうぶ毛といった細部まで再現できるはずです。

同時にボリューミックな物の表現、たとえば、手を太陽にかざしたときに手のひらの分厚いところは暗く、指先に行くほど赤く明るく見えるといったことまで計算でできていると思われます。

このPS6と2025年以降のVRゴーグルのセットでは、バーチャルな景色がリアルタイムで動き、プレイヤーの表情の変化も再現される。そしてそのバーチャル空間を、オンラインで世界中が共有します。

さらに、人間のバイタルを計測する鼓動トラッキングも導入されるでしょう。それは最初こそゲームによる過労を監視するセキュリティーシステムとして機能させるはずです。でも、それも後々には、演出として使われるようなシステムに成長するでしょう。

■AIの力でスマホに革命が起きる

これからの未来は、あらゆる分野でAIが導入され始めます。

ちなみにスマホだけを見ても、AIの導入で次のような変化が起こります。

◎カメラのオートフォーカス（自動ピント合わせ）が驚異的に早くなる

たとえば、人の顔認証と同時に、ＡＩであれば動物の顔や瞳認証も高速にできるようになります。

ここでは、センサーサイズの大きな高級カメラの進化の流行りになりますが、人や動物の顔をＡＩで認証してどれだけ早く自動フォーカスするかで競われ始めます。そして、これら技術が高性能化したスマホへ導入され、10年以内に今の高級カメラと同じ表現をスマホでできるようになります。

◎カメラ（レンズを含め）まだまだ小型化する

それに必要な技術がいくつかあります。今あるレンズは凹か凸型が主流ですが、ＡＩの解析により波型の不思議なレンズが登場して、スマホから高級カメラまでのレンズがさらに薄く小型で高性能化します。

センサーの感度が上がり、さらに小さなレンズでも光を捉えられるようになります。スマホ写真の画質が大幅ＵＰします。

ＡＩがレンズで出る光の歪みを補正計算してしまうため、レンズの薄型化と画質の向上がここからもできてきます。

◎リアルタイムで動画の顔を盛る技術が出始める

ＡＩを使ってリアルタイムで顔が検出されれば、ＴｉｋＴｏｋのようなソーシャルアプリで、リアルタイムで顔を盛れるようになります。

同時に、音楽もリアルタイムでアレンジを変えて、ポップス風、レゲエ風とか、アップテンポ、スローテンポ、ボーカルの声を男性風、女性風とか変えてしまえるようになります。

◎高性能かつ小型なバッテリーが搭載される

バッテリー内部の電気の流れをＡＩがシミュレーションし始めると、高性能で小型なバッテリーが出始めます。

これは、今研究が進んでいる全固体電池の開発とも重なって、２０２１年すでに実用段階まで来た全固体電池の性能はさらに伸びて、２０２６年までにスマホは今の重さの半分以下、形は10年以内にただのプラスチックのカード状態まで行くことになります。それと同時に、手に持つものからメガネのように、普段から身に着けるものへと形を変えてしまいます。

ただし、これからの10年では、ＡＩの進化はまだ途上のため、ＡＩプログラマーがもてはやされると同時にＡＩオペレーターと呼ばれるＡＩを補助する技術職が必要とされるようになります。

ちなみに、このＡＩプログラマーとＡＩオペレーターは20年先の２０４０年頃までは職業としてギリギリ生き延びられるのではと思います。

■車は、全自動運転時代へ

ネットでの購入や決済がさらに便利になると、流通量はどんどん増えていくことになります。これから20年ほど、流通総額は上がる一方でしょう。

そして、現在この業種は深刻な人手不足と低賃金という問題を抱えています。

それもそのはず、少子化から輸送量（重さの意味）は数年減ってきているのですが、小さな荷物の個数がどんどん増え続けているのです。

これを解決する技術が、全自動運転技術です。

日本政府も流通業界の人材不足には気づいているはずなので、法整備も一気に加速することになります。

現在、世界最高性能のレベル3、そしてレベル4の自動運転技術は日本がリードしています。このまま順調にレベル5まで到達できれば、全自動運転が実現します。

2022年にはレベル5技術が登場し、2030年までには法律で自動運転が認められ、実用が可能になります。特に荷物を運ぶ輸送トラックから一般に広がり始めるはずです。

運用の初期段階では、全自動運転のトラックの運転技術は融通がききにくいはずです。もし全自動運転のトラックと人が運転している車とのあいだで事故が起きたら、おそらく人間側の過失を問われるはずです。

2030年、移動中の車内にある会話は、

「あなた！　あれ自動運転トラックだわ。車間距離を空けたほうがいいわよ」

「はいはい、わかってますよ」

といったものになるでしょう。

ただし、これもすぐに次のステージへ移るので、「全自動運転車に気をつけて」は、あっという間に死語となるでしょう。

■小型自立ドローンの時代

現代の飛行機は、ケロシンという灯油に近い性質を持つジェット燃料を燃やして、飛行するために必要な推進力を生み出しています。

しかし、推進力と引き換えに大気汚染を引き起こす排気ガスを排出します。

近年は飛行機の排ガス問題への関心が高まっているため、将来的には自動車と同じように飛行機の電化が進んでいく可能性は大いにあり得るでしょう。というか、実はすでに世界各国で研究が進められています。

しかし、ご存じのように2020年時点で電気自動車はあっても、電気飛行機というものは飛んでいませんよね。これはなぜなのでしょうか。

たとえ電気飛行機を作ったとしても、今の技術力では最大航続距離は３００キロメートル程度、ガソリンの20分の1の距離しか飛ぶことができません。車であれば充電スタンドで補給できますが、飛行機となるとそういうわけにはいきませんよね。国内線しか運航できないので、それでは実用化したところで採算がまったく取れません。

電気飛行機を実現するにはいくつかのステップを経る必要があります。

まずは、２０２２年以降に全固体電池が本格的に運用されて、重量の問題が解消されて航続距離が延びてからが本番です。

全固体電池によって航続距離が3～5倍になっていく過程で、個人乗り用の小型自立ドローンが登場します。

ドローンはリモコンで操作するいわゆるマルチコプターのようなものを思い浮かべる人も多いでしょうが、本来は無人機のことを意味するのです。いわゆる、ＳＦに登場するような空を飛ぶ車（エアモビリティー）もドローンに該当します。

エアモビリティー事業には、海外企業ではウーバーやエアバス、日本ではカーティベーター社などが参入しています。

２０１９年12月には、アメリカのリフトエアクラフト社がひとり乗り用の大型ドローンＨｅｘａ（ヘキサ）のベータテストをテキサスで開始していて、２０２０年度中には25都市で運航を開始する予定です。近いうちに、日本にも登場するのではないでしょうか。

さて、バッテリー出力の密度を高めていくと、**市販レベルで小型電気モーター旅客機が登場します**。ポイントは大型ではなく小型ということ。あくまで2～3人、家族で乗るレベルですね。

長距離は無理ですが、ご近所までは行くことができるので、ちょっとしたヘリコプターの代わりにはなるはずです。

おそらく、最初のアプローチとしては国内では、観光において比較的安全な水上で運用が開始されるはずです。沖縄、琵琶湖、熱海、北海道の湖からの確立が高いです。

5年以内においては、まだ大型の電気モーター旅客機の実現は厳しいでしょう。

■量子テレポーテーション通信も可能に

アメリカや韓国では2019年から5Gサービス（第5世代移動通信システム）が開始されていますが、2020年よりついに日本でも5Gの本格運用が始まりました。先陣を切ったソフトバンクは3月より商用サービス開始。NTTドコモ、KDDIも順次展開しており、大手キャリアの仲間入りをはたした楽天モバイルも6月より提供を開始しました。

これまで以上に大容量のデータを高速でやり取りできる5Gの機運が盛り上がっていますが、実は5Gは技術限界を迎えているといわれています。

今の40代以上の方にはなじみ深いアナログテレビの周波数は900メガヘルツ、Wi-Fiは2・4ギガヘルツ帯と5ギガヘルツ帯、4G（第4世代移動通信システム）は主に2ギガヘルツ帯を使用しています。

ところが、初期のiPhoneは2G（第2世代移動通信システム）から3G（第3世代移動通信システム）へと移行が進んでいた時期であったことから、かなり繋がりにくくなる現象が多発していました。

その原因は、電波の特性というものが関係してきます。

周波数は数値が低いほど広くふわふわと伝わっていくようなものとイメージしてくだされば０Ｋです。ふわふわと伝わると何が起こるかといえば、リップル（波紋）効果が起こります。壁や建物のような障害物があっても、まわり込む性質があるので広い範囲で電波が伝わります。伝播する範囲が広い代わりに、一度に送受信できるデータ量は少ないです。

本格運用が始まったばかりの５Ｇでは28ギガヘルツ帯と３・７ギガヘルツ帯という非常に高い周波数を使います。

周波数というものは高くなればなるほど、一度に送受信できるデータ量が増加する代わりに、障害をまわり込みにくくなっていくため、４Ｇと比較するとかなりせまい範囲でしか利用できないということです。

アンテナから少し位置がズレてしまっただけでも、電波を受信できなくなります。どうするかといえば、電波を拾うためにルーターやアンテナなどをそこかしこに設置するしかないわけです。この移動通信システムの限界値を迎えたのが、５Ｇなんです。

こうした問題を解決するため、世界各国では早くも6G（第6世代移動通信システム）の研究も開始されています。

しかし、5Gよりさらに強い電波を使ったらどうなると思いますか？

2019年夏、5Gの試験運用を行っていたベルギーの首都ブリュッセルで、電磁波の影響によってムクドリが大量死したことを受け、5Gの導入を見送ったというニュースが話題になりました。

これは日本でもネットニュースが報道したために信じた人も多いんですが、ムクドリの大量死についてはデマだったようです。

とはいえ、電磁波への厳しい基準を設けているベルギーが、5Gの導入を見送ったということだけは事実。

これに追随して、ヨーロッパでも5Gへの規制法案を設ける国が増えてきていることから、国家レベルから民間レベルにおいてまで、第5世代で「電波」は実質終わりを迎えるでしょう。

ただし、量子コンピューターの存在によって通信方式は大きく変わります。量子には、量子テレポーテーションという不思議な現象が観測されています。

量子テレポーテーションとは、簡単にいうと「A地点にある量子（この世界の最小構成要素）とまったく同じ状態を、B地点にある量子に作り出す」というものです。実際に人や物質が空間を移動することではありません。

量子テレポーテーションは今の物理学における最大の謎のひとつとされているのですが、これを応用しようとする動きが始まっています。

もうすでにシップに組み込んでの実験も成功していて、さらにいうと基礎技術の構築にも成功しています。

2019年末には、ブリストル大学とデンマーク工科大学が、2枚のコンピューターチップ間で量子テレポーテーションに成功したことを発表しました。

プロダクツ化に成功して実用段階に入っているのは10年後。

量子テレポーテーションにおける通信速度は、いってしまえば0と同じになるわけです。0と同じになるということは、コンピューターチップの処理速度＝通信速度になります。

断言しておきましょう。**この日、テラビットに達成したはずです。**権威ある人は、「いやいやそんな夢物語みたいなものはありえない」、なんて言うのではないでしょうか。

でも、オタクは権威ではないので言えちゃうんです。

はい、間違いなくテラビットになっています。

■ハイブリッドコンピューターの登場

1946年に、アメリカの数学者ノイマン博士が提唱したスーパーコンピューター「ノイマン型コンピューター」。いわゆる「0」と「1」の二進数を使ったコンピューター言語によってさまざまな処理を行うことができます。

今日の人類社会を大きく発展させてきた立役者ですね。実はこの方式は今でも現役で、世界中のコンピューターの99パーセント以上がノイマン型を採用しているといわれています。

僕の本業でもあるプログラミングも、もちろんノイマン型コンピューターを使用しています。しかし、70年以上も使用されてきたノイマン型はもはや性能限界を迎えつつあるため、後継となるコンピューターが望まれているのです。

ポストノイマン型の本命として期待されているのが、従来とはまったく新しい原理を採用した量子コンピューターと呼ばれる存在です。

２０１９年９月、グーグルが53ビット量子のチップ「Ｓｙｃａｍｏｒｅ（シカモア）」を搭載した量子コンピューターの開発に成功したというニュースが世界中を驚かせました。

このシカモアと現在世界第１位の性能を持つスーパーコンピューター「Ｓｕｍｍｉｔ（サミット）」が、「統計数学の問題をどれくらい早く解けるか」という対決をしたわけです。

結果、世界最速のスーパーコンピューターであっても１万年以上かかるとされていた計算を、シカモアはわずか３分20秒で解き明かし、サミットに勝利。

このニュースを聞いて、僕はとうとう中学生のときに思い描いていた、未来の最強のコンピューターが現実になったのだな、と感慨深かったですね。

実は、シカモアが発表されたニュースが流れた日、仮想通貨ビットコインの価格が過去に類を見ないほど下落しました。それに比例して株価も下落。この日、トレーダー

量子コンピューター

や投資家が何人も自殺したそうです。

ですが、翌日にはビットコイン価格も株価も元に戻りました。

一時でも、なぜビットコインの価格が下がったのでしょうか。


量子コンピューターが完成する日。

それは理論的に見ると、**あらゆるセキュリティーがすべて突破される日**になります。


金融機関の暗証番号から、紙に書いておいたパスワードに至るまで、何から何までがリセットされてしまいます。

「銀行は安全だ」と言っている人たちが、銀行の予算高がゼロになったことを知った瞬間何が起こるでしょう。データが全部消えて復旧は不可能ですとお手上げになったらどうなるでしょう。

残念ながら、世界中が戦争へと歩み始めます。

だから見込みで動くトレーダーや投資家が絶望し、自殺者まで出てしまったわけです。もっとも、まだまだプロトタイプであって実用化されたわけではなかったから、価格が元に戻ったんですね。

量子コンピューターによってすべての数字が突破される。こういう日が来ることをみんな知っています。ですが逆に、量子コンピューターによって二度と突破されないセキュリティーを作ることも可能です。

量子コンピューターが人類の発展には欠かせない存在になることは確かですが、同時に諸刃の剣でもあるということです。

冒頭でも解説したように、ノイマン型コンピューターの発展はピークを迎えて限界まで来ています。

このタイミングで、ほんの20年前までは偽科学やSF世界のたまものといわれていた量子コンピューターが姿を現した。

世界の権威といわれる人々が「そんなものは不可能です」と言った10年後には現実になりました。あのときに不可能だと言った権威者には、ぜひとも表に出て来ていただきたいものです（笑）。

さて、プロダクツ化を予想しましょう。53ビット量子が今のスーパーコンピューターに追いつくには少なくとも100〜200ビットは必要となってきます。

この数値の倍以上集積できるのは2022年以内。スーパーコンピューターに追いついて安定するのはさらにその先、2024年。

もっとも、これは量子コンピューター＝ハードウェアが完成しているというだけの話であって、ソフトウェアのほうが作る時間がかかります。安定的に完成できるのは2029年くらい。

つまり、2029年にすべての量子コンピューターが完成します。ただし、この段階では価格が異常に高いでしょうね。

さて、今のコンピューターがいずれ量子コンピューターへとすべて取って代わるのかといえば、そうではありません。

今のところまだ量子は安定化するための技術が追いついていないので、計算に誤差が出る状態です。ぼんやりと大雑把なもの、つまり抽象的な判断には非常に長けています。画像認識させて回答を出す精度が異常に上がるでしょう。

一方、単純計算は不得意です。たとえば、量子コンピューターに「1＋1は？」と質問すると2ではなく、「1．9855883……」のような回答が返ってきます。もっとも、このような大まかな計算であっても最終誤差が限りなく0まで近づけば、やがては「2です」といえる日も来るでしょう。

では、量子コンピューターがいつ実用化されるのか、今のコンピューターがいつまで持つのかという疑問に対して、僕は**ハイブリッド化される**と予想します。

コンピューターのハイブリッド化は、ほとんどの権威ある人は誰も予想していません。**ノイマン型と量子コンピューター、それぞれの得意分野と不得意分野を保管し合い、ハイブリッド化された状態ではじめて安定する**のではないでしょうか。

■暗号資産　ビットコインの未来

これから10年以内のビットコインやその他アルトコインの未来がどうなっているかは、まず動くのは（動いているのは）ビットコインです。

２００８年にオープンソースで登場し、２００９年使用が始まりました。

そこから２０１７年、２０１９年と中国の景気と連動した動きをしているので、

２０２１年以降しばらくは、ビットコインは中国経済が崩壊寸前までは上げ続けます。ですがそれも、アメリカが意図するタイミングで一気に値崩れするでしょう。

また、ビットコインが恐ろしく値を下げたとき、リップルコインの価値が改めて認識され上げようという雰囲気になってきます。

このときのイーサリアムは、一時的に値を下げますが、ビットコインほどではありません。

初期には、ビットコインを中国人と日本人が多く支持し、リップルコインをアメリカ人が支持し、イーサリアムをロシア人が支持します。後に世界中の投機家が、どの系列を支持するかをギャンブルのように楽しみます。

生き残った暗号資産、電子マネーが上げ下げでなく、価値が安定するのは、２０４０年頃からです。

ただし、一番大きな市場を握る暗号資産、電子マネーは、２０２１年には存在していない新しいものであると予測されます。

CHAPTER 03

2030年、技術の発展と意識の変化

■バッテリー性能の向上　5倍→20倍へ

何度もくり返し充電して使えることから、ノートパソコンやデジタルカメラなどのモバイル機器やドローンなど、幅広い用途で利用されている二次電池（充電式電池）は、僕たちの生活に欠かせない存在となっています。

二次電池の種類はたくさんありますが、現在の主流は軽量ながら大容量の電気を蓄えることができるリチウムイオン電池（Ｌ・ｉＢ）です。２０１９年には、日本人エンジニアのひとり、吉野彰さんがノーベル化学賞を受賞されたこともあって、その名を聞いたことがある人も多いのではないでしょうか。

リチウムイオン電池は、電気自動車のバッテリーとしても採用されています。テスラの最新モデル「モデルＳ」のスペックを見るとおもしろいのですが、重量が２１０６キログラムもあり、非常に重い車体です。なんと普通車の１・５～２倍もあるんです。

車体重量を重くしている最大の要因がバッテリー、つまりリチウムイオン電池です。今の電気自動車の航続距離（燃料が満タンの状態で走行できる距離のこと）は、平均で約300キロメートル。さらに延ばそうとすればバッテリーの寿命が課題となってきます。

なんせ、リチウムイオン電池は、毎日使っていると2年くらいで劣化してしまうからです。電気自動車に積載するための大きいものであっても10年持ちません。

いくらクリーンなエネルギーであっても、現時点ではガソリンエンジンのほうが燃費も良く、寿命も約15年と長いので、まだ太刀打ちできるスペックとは言いがたいです。

今後、電気自動車が500キロメートル、600キロメートルと航続距離を延ばそうとすると、すでにリチウムイオン電池では技術限界が来ています。

ですが実はもう次世代の電池技術は2020年実現されていて、それが先ほどから何度か登場している「全固体電池」です。全固体電池は2021年には実用化され、現在小型のチップとして出荷が始まりました。

そして2022年以降、本格的な商業利用が開始されます。

以上を踏まえると、今後10年以内で、電気自動車の航続距離が今の3～5倍には到達します。

これまでの電池は、基本的に「電極（正極と負極）」と「電解質」から構成されていて、正極側から負極側へとイオンが液体の電解質を通ることで電気が発生する仕組みでした。

一方、全固体電池はその名の通り電解質が固体になっています。

これまで、液体の電解質が液漏れしてしまう事故をよく見かけましたが、固体になったことで安全性が向上しただけでなく、形や構造の制約がなくなります。

さらに電池の寿命も伸びて、耐久性もアップするなど、全固体電池は「究極の電池」と呼べる存在なんです。

全固体電池は、大手自動車メーカーのトヨタが、「2020年代前半に商品化を目指す」と発表したため、当初実用化が2030年代以降と予測されていましたが、10年早まっています。

リチウムイオン電池と全固体電池の構造の違い

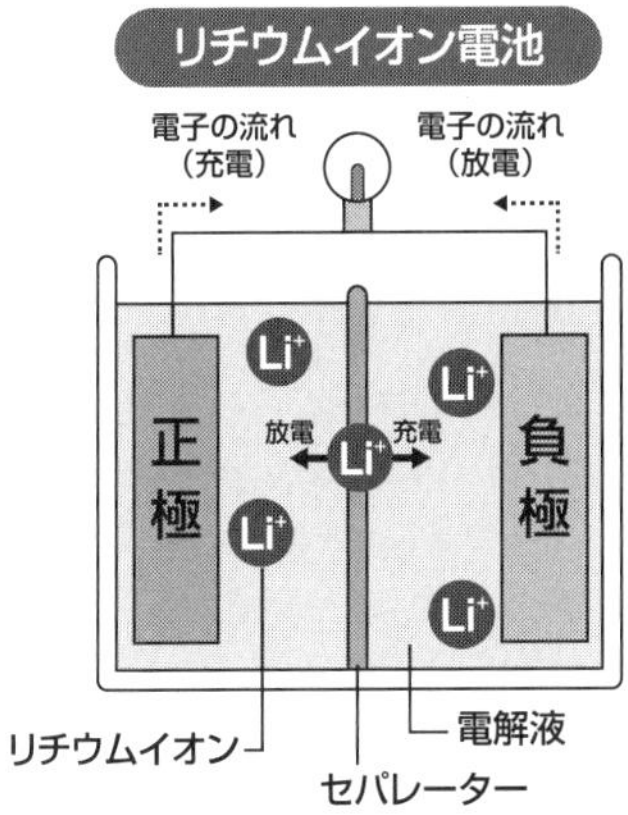

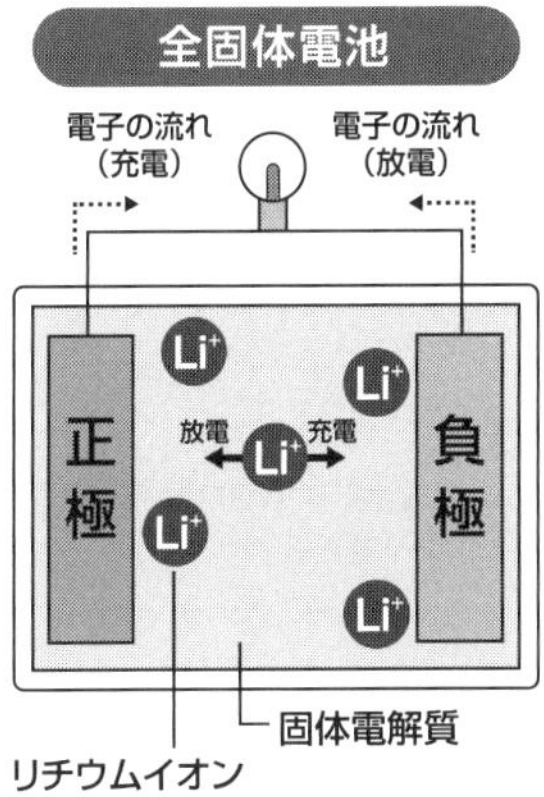

『LOTAS TOWN』の資料をもとに編集部で作成
https://www.lotascard.jp/column/future/12762/　［最終検索日：2021年10月15日］

■ガソリンエンジン搭載自動車生産がほぼ終了

ガソリン自動車が誕生してから1世紀以上。いよいよ、２０２０年代から10年以内にガソリン車の生産がほぼ終了することが予想されます。

ガソリン車の次は、すでに市場でも一定のシェアを獲得しているハイブリッド自動車へと徐々に移行していくでしょう。

これは、経済産業省が発表した「次世代自動車戦略２０１０における政府目標」において、日本政府が次世代自動車のシェアのうち、ハイブリッド自動車の普及目標を20～30パーセントと掲げており、非常に重要視していることから、可能性は非常に高いと思われます。

また、ゼネラルモーターズやボルボなどの大手自動車メーカーも、将来的にはガソリン車やディーゼル車の販売を打ち切って電気自動車へと完全移行にすることを表明しています。

2019年は、環境活動家のグレタ・トゥーンベリさんが二酸化炭素排出量の削減を世界に訴え、日本でも何かと話題になりましたね。賛否はありますが、こうした発信力のある人たちが働きかけていくことで、ハイブリッド自動車、そしてその先にある電気自動車への流れが加速していくのではないかと思います。

北欧から始まった「ガソリン車ならびにディーゼル車の販売禁止」の動きはヨーロッパ諸国に広がっていき、イギリスは2025年、アイルランドは2030年には全面禁止を掲げています。もうすぐじゃん、という感じですね。

さらに中国も販売規制を強めており、国家を上げて動き出しています。

これらの国々はガソリン、ディーゼルだけでなく、ハイブリッド車も販売禁止の対象に入れています。

こう聞くと、一般的には「えっ！　ハイブリッド車も全部なくなっちゃうの?」思いがちですが、実際には新車の販売がなくなるだけです。

そこから10年かけて中古車市場への移行や、乗り換えまでの時間を要すると考えると、電気自動車普及完了への歩みは亀のようにゆっくりでしょう。

だってこれだけ「エコカーに切り替えろ」と言われても、今でも多くの人がガソリン車に乗っていますよね。ディーゼル軽トラだって普通に走っています。

彼らが「もう軽トラはいらない」というまでには、ざっくりと計算しても20年ほど必要です。車選びの時間はたっぷりありますので大丈夫です。

乗用車車種別普及見通し（民間努力ケース）

○メーカーが燃費改善、次世代自動車開発等に最大限の努力を行った場合の民間努力ケースについて普及見通しを検討。
○乗用車の新車販売に占める次世代自動車の割合は、2020年で20%未満、2030年で30～40%程度。

	2020年	2030年
従来車	80%以上	60～70%
次世代自動車	20%未満	30～40%
ハイブリッド自動車	10～15%	20～30%
電気自動車 プラグイン・ハイブリッド自動車	5～10%	10～20%
燃料電池自動車	僅か	1%
クリーンディーゼル自動車	僅か	～5%

乗用車車種別普及目標（政府目標）

○次世代自動車の普及加速のため、政府が目指すべき車種別普及目標を設定。
○2020年の乗用車の新車販売台数に占める割合は最大で50%。
○この目標実現のためには、政府による積極的なインセンティブ施策が求められる。

	2020年	2030年
従来車	50～80%	30～50%
次世代自動車	20～50%	50～70%
ハイブリッド自動車	20～30%	30～40%
電気自動車 プラグイン・ハイブリッド自動車	15～20%	20～30%
燃料電池自動車	～1%	～3%
クリーンディーゼル自動車	～5%	5～10%

先進環境対応車普及の必要性

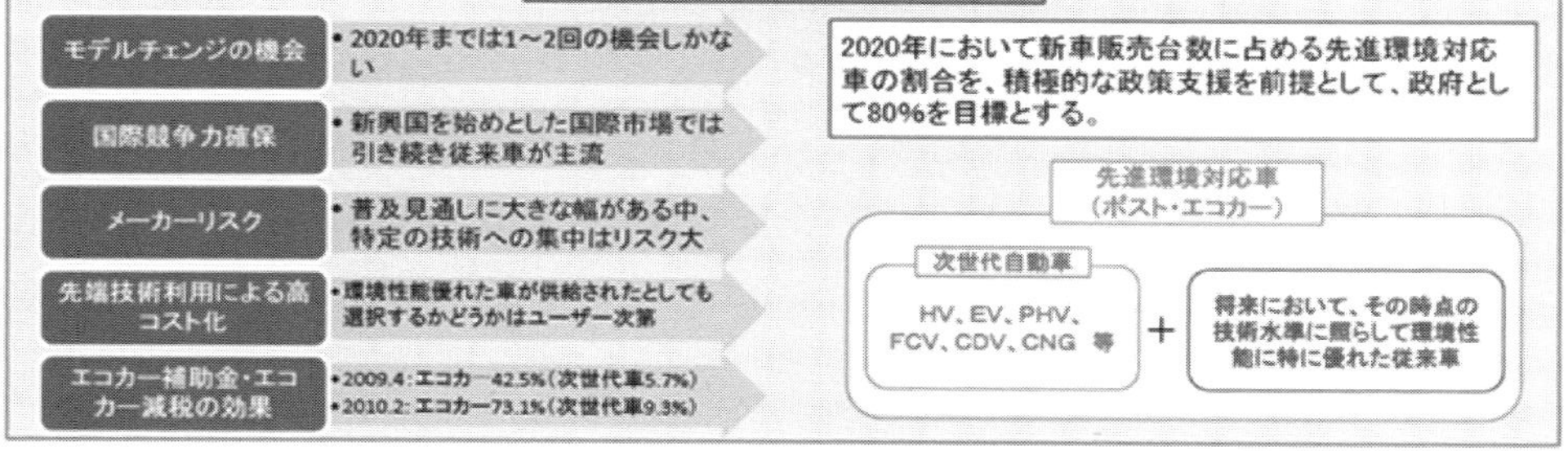
モデルチェンジの機会
• 2020年までは1～2回の機会しかない
国際競争力確保
• 新興国を始めとした国際市場では引き続き従来車が主流
メーカーリスク
• 普及見通しに大きな幅がある中、特定の技術への集中はリスク大
先端技術利用による高コスト化
• 環境性能優れた車が供給されたとしても選択するかどうかはユーザー次第
エコカー補助金・エコカー減税の効果
• 2009.4：エコカー42.5%（次世代車5.7%）
• 2010.2：エコカー73.1%（次世代車9.3%）
2020年において新車販売台数に占める先進環境対応車の割合を、積極的な政策支援を前提として、政府として80%を目標とする。
先進環境対応車（ポスト・エコカー）
次世代自動車
HV、EV、PHV、FCV、CDV、CNG 等
＋
将来において、その時点の技術水準に照らして環境性能に特に優れた従来車

（出典）次世代自動車戦略2010『一般社団法人　次世代自動車振興センター』
http://www.cev-pc.or.jp/kiso/post-18.html　［最終検索日：2021年10月15日］

■自動運転の技術が安定し信頼できるレベルになる

近年は高齢ドライバーによるブレーキペダルとアクセルペダルの踏み間違えによる事故が多発しており、社会問題となっています。もちろん、政府も何も手をこまねいているわけではありません。

経済産業省と国土交通省は、交通事故対策として「サポカー（セーフティ・サポートカー）」及び「サポカーS（セーフティ・サポートカーS）」を推進しています。大手自動車メーカーと協力して、人や物に衝突しそうになったら自動でブレーキをかけたり、ペダルを踏み間違ったときに加速するのを抑制したりする装置を搭載するなど、官民一体となった取り組みが行われています。こうした技術を発展させていくと、自動運転のビジョンが見えてくるものです。

自動運転には6段階のレベルが設定されていて、市販されているサポカー及びサポカーSはレベル2に該当します。

２０１０年代半ばにおいては、「10年後に全自動運転が実現しているであろう」とニュースなどでも話題になりましたが、いざ２０２０年を迎えてみても、残念ながらまだ全自動運転技術は実現していません。

ですが前章でも触れたように、僕は２０３０年には自動運転の技術が安定し、信頼できうるレベルになっていると予想しています。

ただし、ゲーム機などを見てもわかるのですが、もともと日本の技術というものはダウンサイジングされていくというのが普通であり、得意です。その代わり、最適化に命をかけるものだから効率は非常に悪い。いちから作って最適化、別の製品ができたといえば、またいちから作って最適化。これを延々とくり返すのが日本です。そうすると、必然的に開発期間が長引いてしまいます。

しかも、日本人の場合は信頼を上げるために、とことんまで追求するような職人気質があり、それがさらに発売までの時間ロスの原因になっています。

対してアメリカはひとつの製品を開発したら、ひたすら足し算していきます。特定の機能が使いづらいなと思ったらとにかく合理化。

こうした気質のおかげもあってか、今はテスラの自動運転技術はかなり優秀になりました。

まあ、足し算していくものだから、製品は巨大化していく傾向にはありますよね。本当になんでもデカい。

とにもかくにも、日本は足し算技術においてはアメリカには勝てないですね。

こうした流れが続いていけば、少なく見積もっても2030年には自動運転のバグはほとんど回避されているはずです。

ハンドル操作なんかしなくても、安心して普通に乗れます。

街中の雑踏はもちろん、渋谷のスクランブル交差点ですら自動運転にお任せしている、という時代に突入しているでしょう。

この段階になると、もう当然のように全自動運転をみんなが利用していると思います。

ただし、これも安心して使えるレベルであるだけなので、あらゆる車が自動運転に切り替わるのは別の問題になってきます。

■社会はどんどん潔癖化する

2030年の世界は、人間の概念の変化が顕著に表れる時代です。

量子コンピューターの実用化・量産をきっかけに世の中はどんどん簡潔になり、簡素になり、最終的には潔癖化されます。

たとえば、2030年に「『5ちゃんねる（旧2ちゃんねる）』に書き込みしている」なんて公言したものなら、まわりから「やめたほうがいい」と止められるでしょうね。『5ちゃんねる』って、特定の人物や企業を誹謗中傷するスレッドは山ほどあります。匿名性だから安心して書き込みしているんでしょう。

今や情報入手に欠かせないツイッターも、匿名性だからこそ日本で流行した側面があります。

コロナショックの際に「トイレットペーパーが不足する」というデマに多くの人々が踊らされ、しばらく店頭で品薄状態になったことは記憶に新しいのではないでしょうか。

ネットの発言は匿名だから簡単には特定されないだろう、何を言っても構わないだろうと安心していませんか？　その認識は直ちに改めるべきです。

倫理的問題としてだけでなく、本当にやめないと簡単に捕まっちゃいますよ。だって、量子コンピューターが実用化されたら、匿名性など無意味になるから。今やっていることも含め、過去にした誹謗中傷もすべて明るみになるでしょう。

匿名サイトのセキュリティーはたやすく突破され、過去の発言もすべてアクセスログに残り、すべてが明らかにされます。今まで悪さをしてきた人が謝罪しても、何かあるたびに掘り起こされ、永遠に非難されるでしょう。

すでに、悪いことに対して異常なまでの集中攻撃する風潮にあるので、潔癖化が進めばこの傾向はさらに過激になっていくでしょう。

同時に、**２０２２年以降、有料総合情報サービスが一般化していくなかで、新たな秩序を持った新しい形のネット情報サービスが普及し、誹謗中傷サイトの影響力は年々低くなっていく**でしょう。

これも潔癖化社会がもたらす、自然な流れなのです。

さらに、量子コンピューターが開発されたら世界中のパスワードが容易に突破される状態になってくるとお話しました。

それは少なくとも今から9年後に用意されるステージであって、さらにいうとここから突破するためのセキュリティー解析も研究されてきます。

10年前後でこうした未来のビジョンが見えてくるでしょう。

もう二度と破壊されない完璧なパスワードが設定されるポイントもこの段階です。

ただし、これはあくまで正義のために使用された場合を前提としています。この未来が良くも悪くも現実になる日はいつか必ず訪れますが、本書を読んだ人は怖がらず、焦らないで欲しいのです。

では、量子コンピューターによってパスワードが簡単に突破されてしまう未来に備えて、僕たちは何を用意しておくべきなのでしょうか。

僕は、現物の資産を少しだけ持っておくことをおすすめします。現物というとざっくりしていますが、古代から価値が変わらない金などが望ましいです。

また、銀などもおすすめです。金よりもレートは少し劣りますが、売値と買値が一緒の現物資産はめったにないですしね。さらに、日本でもアメリカでもこれらにおける相続税が発生しない点もポイントが高いです。

ですが、金と銀以上に僕が考える最良の現物資産は不動産です。不動産の中でも、誰もが必要になる食物を生産するための農地。日本の里山など理想ですね。

今は売れないと馬鹿にされていますが、もし世界が量子コンピューターの登場によって破綻したときに、ものすごく価値が上がります。

■宇宙に行くことも可能

2030年代には量子コンピューターが実用化され、同時にペタビット通信も運用され始めます。

世界のどのような場所にいても大容量のデータを瞬時にやりとりできるということは、多くのコンピューターをつなげていくことで、より速い処理ができるようになることを意味します。つまりは、都内にある1000万台のコンピューターをつないでいけば、人間と同じ思考を同じ処理速度で行うことも可能になるということ。

2040年頃には、AIがこんなふうに考えて僕に話しかけてくるはずです。

AI「あ、人間さんだ。ちょっと緊張するけれど話かけてみようかな。ねえねえ、岡本さんは火星に行きたくないですか？　キャー！　恥ずかしい……」

岡本「なんで照れてるの……」

AI「あはは、ごめんなさい。僕、少し照れ屋でして。緊張するとちょっと噛んでしまう癖も……」

岡本「そこまで再現する必要ある（笑）？　あ、でも、どうして急にそんなことを聞くの？」

AI「この間SNSを見ていたんですが、なんかみんな火星に行きたいみたいだったので。実は、僕たちも行きたいと思っていたところなんですよ」

岡本「火星かぁ。行ってみたいけれど、今の技術だと行くまでに片道2年以上かかるでしょ？　時間がかかり過ぎて無理だよ。仕事の休みだって取れないし」

AI「大丈夫です！　ペタビット通信は人間の脳の処理速度×30倍のスピードがあるじゃないですか。実はこのあいだの深夜に、都内のコンピューターを全部つないで計算してみました。その結果、30倍×1000万倍……つまり3億倍の処理速度で計算したところ、火星に行けることが判明しました！」

岡本「えっ？　でも今は、第4世代イオンエンジンを開発していたよね」

AI「第4世代イオンエンジン？　何それー、時代遅れですよ。僕たちは亜音速のその上、亜光速なら光速の10倍のスピードで行けることに気づきました。普通なら

2年以上かかるものが、これを使うとどんどん加速して、たった3日で火星に行くことができます！」

岡本「すごいじゃん！　でも火星はめちゃくちゃ寒いって聞いたよ？　マイナス50度の世界なんて耐えられないな」

AI「大丈夫です、その問題も考慮しています。

まずは、食料を必要としない僕たちが先行して火星に行きますね。それで、あなたたち人間が快適に過ごせるプラントを作っておきます。

プラントの建築資材の調達は現地では難しいですから、スペースシャトル内に折り畳んで、コンパクトにした状態で運搬します。向こうで展開すれば、ほらすぐに完成！

エネルギーも折りたたみ式の太陽光パネルで効率よく備蓄できます。

火星の地下に水があるってことは20世紀にすでに確認済ですから、その水を使って水素と酸素を作ります。

火星の大気はとても薄くて外ではまともに呼吸できませんけど、プラント内には酸素があるので安全です。

人間が住めるプラント完成までは約数カ月というところでしょうか。さらに、土から掘った炭素と水素を反応させて二酸化炭素を作り、温室効果を生み出します。そうすれば、別に宇宙服を着けなくたって、プラントの屋外にも出られるし。人間が住める日だってすぐやってくるでしょう」

岡本「でも、テラフォーミングってすごく時間かかるでしょ？　計算だと数千～数万年くらいかかるって聞いたことあるよ。マンガの『テラフォーマーズ』※編注の世界だって数百年くらいかかっているし……」

AI「大丈夫です。僕らが計算したところ、今から10年後の2050年代には火星に住めるようになっています」

岡本「マジかー!?」

岡本さん
岡本さん
火星に行きたくないですか？
おかもん

きっとそう遠くない未来に、こんな会話が繰り広げられることでしょう。

人類にとっては不可能なことでも、コンピューターというものは指数関数レベルで処理が速くなります。

だから、生産能力もアップできるので、こうなると世の中の宇宙開拓が別次元に突入していきます。

※編注『テラフォーマーズ』(原作・貴家悠、作画・橘賢一/集英社刊)

CHAPTER 04

2040年、人工頭脳：AIが完成する

■人工頭脳ＡＩが、人間と同じレベルになる世界

もし本当にＡＩのスペックがシンギュラリティにまで達すると、ＡＩは人間と同様の感情までが再現されるようになります。

たとえば、誰かが泣いていたら「どうしたの？」と尋ねてきて慰めてくれるし、誰かが大笑いしていたら一緒になって笑う。

現在の音声アシスタントのような敬語ではなく、ネットスラングを交えて会話してくる。これが完成されたＡＩの世界です。

シンギュラリティがいつ起こるかは度々議論の的となります。

もっとも有力な説とされているのは、アメリカの発明家レイ・カーツワイル氏が述べた２０４５年説です。僕もおおむねその説に同意します。

もう少し正確にいえば、**僕は２０４０年がシンギュラリティの実現と予想しています。**

つらかったですよね
大変だー！
すごい！
おめでとうございます！
うーん。
そういう
ときは……

では、僕がなぜ２０４０年にシンギュラリティが起こる、と予想したのかを解説していきます。

既存の情報や技術を整理していくと、特定の技術を発明した10年後にプロダクツ化が成功、10年後に量販されて全家庭に普及する三段階を経るのが一般的です。

シンギュラリティの一翼を担う量子コンピューターは２０１９年に実証を成功させたので、つまりは、２０３０年頃プロダクツ化、さらに２０４０年頃に普及段階へと入ることが予測されます。

これまでは、ＡＩを作ろうとしたときのスタンダードな方法は、ビックデータを基に平均値を取るというものでした。僕はこれを「アメリカ式」と呼んでいます。

シンギュラリティの定義も、このアメリカ式を発展させたもので考えられています。

たとえば、コンピューターが10人の人に「こんにちは」と言ったところ、８人の人が「こんにちは」、残りの２人は「おはよう」と返してきました。

コンピューターは「あれ、『おはよう』ははじめて聞くぞ。時間は午前11時30分。よし、これをデータで取っておこう」となります。

次に、午前8時に「こんにちは」と言ったところ、10人中8人が「おはよう」、残り2人が「こんにちは」と返してきた。するとコンピューターは「午前8時に関しては『おはよう』というのが正しい」と記録します。

このように精度を高めていくのが、ディープラーニングという作業です。

そして、もし人間のほうが「おはよう」と声をかけたときに「おはよう」と返してきたのが、人間なのかコンピューターなのか判別できなくなる状態、これを『AIの完成』と位置づけしましょう、というのがシンギュラリティの世界的な定義とされているのです。

ですが、人間社会では十人十色が当然なのに、「10人の平均値を人間としましょう」という考え方が、**はたして「人間」を作り出したことになるのでしょうか。**

僕はこの考え方には違和感があってたまらないんです。

だって、もしあなたが悲しんでいるとき、ビックデータから声のトーンや言葉を検索して、「慰める」という行為を選んだだけのAIに、「ああ、私の気持ちをわかってくれている」と感じますか？

僕は、AIが人間の知能を超えるのではなく、人間の感情を持つようになってはじめて真のシンギュラリティが起こるのだと考えているんです。

感情を再現するためには、また別の計算が必要なんです。ですが、世界はまだそのことに気づいていません。

僕はコンピューターの魂における0と1を探そうと試みていて、その設計図も全部書いています。

■AIが持つべき「人間の感情」とは

現在のAI技術はビッグデータを利用して、ディープラーニングを行う方法が定番とお話ししましたが、人間のようなロボットを作るには、この手法だけではそもそも無理があります。

ディープラーニングだけだと、AIはいつまでたっても「ロボットくささ」が抜けないままになってしまうはずです。

ディープラーニングの平均値を得てロボットのような反応を返すものではなく、「今の返事は人間が答えているのかな、それともロボットが答えているのかな」というまでになるには、どうすればいいのでしょうか。

僕は、精神世界における0と1の最小ビット単位というべきものを基本に、自己学習できるプログラムが必要だと考えています。

つまり、ビッグデータの情報を合理的に処理するための一番根っこの部分として、人間と同じような感情をプログラミングしておくということです。

では、そもそも人間の「感情の源流」とは何なのでしょうか？

14歳の頃、僕は「自分で人工頭脳を作ろう」と思い、当時すでにこの命題を自問自答していました。

少しして気づいたことは「いきなり人間を作ろうとするから複雑なんだ」ということ。そこで、人間よりも単純な生き物の感情を分析しました。

僕はコンピューターのビット処理に従い、心理世界にある0と1を追求してみました。人間のような複雑なものがむずかしいのであれば、極力シンプルにすればいいということですね。

まず人間にとって身近な動物、たとえば犬や猫なら何を思うのか。犬や猫は言語中枢を持っていませんが、感情は持っていますよね。

では、犬や猫よりも原始的な昆虫は何を思うのでしょうか。

昆虫の中からは感情が消えます。ただし、バッタやカマキリでも、ひとつだけ持っている感情があります。それは「怒り」です。

今、あなたの目の前に美味しい食べ物があるとしましょう。でも、隣にはこの食べ物を狙うおそろしいモンスターがいます。でも、それを理解しているのにもかかわらず、のこのこと食べに行ったらモンスターに襲われます。

ということは、食べ物と化物が同時に存在したとき、最初に反応しなければならないのはモンスターに対してなんです。そうでないと死んでしまいますからね。

心理分析してみるとおもしろいのですが、人間の感情において「喜び」と「恐怖」を比較すると、恐怖に対する反応のほうが圧倒的に強いです。

つまり、何よりもまずは恐怖に対する反応を優先する、これが生物の基本ということ。これはすべての生物に共通します。生きるために恐怖し、怒る。

これに気づいたとき、僕は原点を「無の世界＝死＝0」であると考えました。有限世界のあらゆるものは、無の世界に対して恐怖します。誰だって基本的には死にたくないですものね。

この原点に対して

・怒り……死に近づく行為に対する心理反応
・喜び……死から離れる行動に対する心理反応
・悲しみ……原点に近づく行為のうち、ひとりで解決できないものに対する心理反応

と定義づけました。

たとえば、今にも死にそうな人がいるとします。

その人のまわりでは、親しい家族や友人が泣き叫んでいます。彼らは、愛する人が死へ近づくことへの「怒り」と「悲しみ」を同時に感じています。

処置が間に合ったおかげか、患者は間一髪で助かりました。お医者さんも患者の周

囲の人も「喜び」を感じています。

ＡＩの感情再現においても、この精神論が当てはまるのではないかと考えました。原点＝無の状態に対する「悲しみ」「怒り」「喜び」の感情を3軸で取って、それぞれに対してビット処理を行ってみましょう。

ざっと計算して約２５６兆回の試行を行い、16ビット処理で２５６の3乗。延々と計算していけば、およそ１６７７万パターンの感情があることになります。

約１６７７万パターンの感情にディープラーニングを組み合わせて、シーンに最適な感情表現と行動を選択できるようになれば、もはや人間とロボットの区別はつかないでしょう。

これが僕のＡＩに関する理論です。

日本人が目指したいＡＩロボットとは

鉄腕アトム、ドラえもん、鉄人28号。彼らは機械でありながら人の心を持った正義のヒーロー。彼らが人類の味方であり友だちであることは、ファンならずともご存じのことでしょう。

彼らは平均値を取っただけの一辺倒な反応は決して返していません。自ら考え、自ら動いています。そう、まるで人間のように。

これが日本人の目指したいＡＩロボット像なのではないでしょうか。

一方、キリスト教社会においては神様がすべてです。

そのため、アメリカがイメージするロボットは、過去のＳＦ作品を見ても悪役や道具として描かれることが多く、主役となることはほとんどありませんでした。

全知全能の神様は人間のためにすべてを与えた。しかし、神様が作った人間でさえ間違いは犯す。魂を与えられるのも神様しかいない。

だから、「魂のないものは必ず人を裏切る＝悪」である。これがキリスト教やイスラム教などをはじめとした一神教の基本的な考え方です。

その点、日本はご存じのように多神教です。万物にはすべて神様が宿るという八百万信仰が根づいています。

さきほどの鉄腕アトムなどロボットが登場する作品においては、ロボットは友だちであり、人間に危害を加えることがないという描き方が主流です。

これには八百万信仰が顕著に表れており、万物＝ロボットにも魂が宿ると信じられているからです。だからこそ、１９９９年6月にペットロボット『ＡＩｂｏ（アイボ）』が発売されたとき世界中が驚いたのでしょう。

ただの機械に対して愛情を込めて散歩させ、大事に可愛がって会話までする。日本人は異常だといわれていたんです（笑）。

なぜなら、一神教の人たちからしてみれば、日本人は悪魔を崇拝しているようなものです。

さて、ロボットが一般的になった場合、アメリカを筆頭とする一神教の国々は、意思決定を行う全知全能のロボットを否定する可能性があります。キリスト教徒のなかにはいまだに天動説を信じている人が一定数いることからもわかるように、ロボットを否定する層もやはり確実に出てくるでしょう。

断言しましょう。**この20年以内に、日本人の精神性は必ず世界のスタンダードにな**

りうる可能性を秘めています。たとえ世界がロボットを否定しても、その潮流に乗せられるのではなく、受け入れる方向へと意見を発信していくことが大切です。

もっとも、大半の日本人は問題ないと僕は考えています。

AIがアニメで描かれたロボットたちのように、我々の純粋な友達になる日はすぐ目の前にやってきていますし、それを生み出すのは、やはり日本人的な考えだと思います。

■株式会社の概念が変化

2020年時点では、残念ながらAIで経営が成功している企業はありません。AIの仕事といえば、分析や機械学習を使ったサービス程度に留まっています。ですが、AIは過去の膨大なビッグデータから学び、未来の状況を推測することが得意なので、マーケティングや意思決定を任せる流れが来るのは当然です。

実際、特定の産業デザイン分野では、統計を取り、AIにディープラーニングで学習させていくほうが、確実に売れる商品のデザインが完成することは、さまざまな研究からわかっています。

こうした流れを経て、**遅くとも２０４０年頃にはＡＩに経営を委ねるという企業も出始めるはずです。むしろそのほうが安定すると社会が認識している**のです。

企業経営そのものをＡＩが担うようになれば、会社のシステムそのものがコンピューターで全自動化され、制御されます。

最終的には「ＡＩが出す利益は誰のものか？」という段階に至り、こうなると、株式会社というシステムそのものが見直される時代が来ます。このタイミングが、まさに２０４０年なんです。

もっとも、概念の変化は最低でも25年はかかるので、加速度まで考慮して計算すると、ＡＩに企業経営が本格的に委ねられるのは今から40年後の２０６０年代となります。

正直なところ、僕はもっと日本の企業も柔軟に導入してもいいとは思います。

■ＡＩが「個の時代」を実現させる

すでに国境という境界線や隔たりにこだわり続ける「国の時代」が終えんを迎え、世界の価値観を本質的に、しかも瞬時に変化させることができるのは、ＧＡＦＡをはじめとする企業であるという見解から、「企業の時代」と呼ばれるようになりました。たとえば、アップルの製品が世界で使われているように、企業はいとも簡単に国境など越えてしまうのです。

ですが、企業の時代はその名の通り、企業がやらなければいけないことが、これまで以上に重要視されるということです。そこで問題が発生します。

それは、現状のルールのなかでは、企業は本当になすべきことは実践できなかった、ということ。

日本の会社法には、「株式会社では株主が会社の法的な所有者である」という絶対的ルールがあります。株主の利益を最優先にしないといけない、という難題が常につきまとい、社会貢献など二の次にされるということです。このせいで世の中おかしくなってしまったんです。

それをなんとかしようと、以前は「改訂資本主義」「改訂社会主義」といった具合に、さまざまな角度からの検討がなされましたが、既存のシステムに打ち勝つほどのものではありませんでした。

ですが、ついにここにきて、新たな考えが注目され始めました。

それが、ドイツの哲学者マルクス・ガブリエル氏が唱える「倫理資本主義」です。これは、ある一定の倫理観を持った上での資本主義のことを指します。

確かに、グローバル経済が一部の投資者の利益を追求し過ぎたために、今の悲惨な地球の現状があるのならば、今後は倫理や道徳といった価値観を、経済の中心においてもいいのではないでしょうか。

僕は、**もしもこの倫理資本主義を本当に実現させうる立役者がいるとしたら、その唯一の存在がAIであると考えています**。

企業の経営をＡＩに任せた世界では、倫理資本主義も机上の空論ではなくなります。

資本主義の最終段階は「お金を使うこと」、つまり投資であると言われています。

仮にＡＩが会社を経営し、これまでのマネジメント以上に利益を出してくれたとしましょう。人間は一日3時間×週2日くらいしか働かず、あとはすべてＡＩが24時間稼働している。

そういった状況の中、そこで得たお金の使い道を考えたとき、人間はその正しい使い道を自分たちで決められるのでしょうか。

むしろＡＩに権利を与え、人間がもっとも安定して暮らせる世の中を創造してもらうほうが、世界は確実に良くなっていくはずなのです。

これは、親が子どもに全財産の使い道を委ねる、それくらい勇気のいることかもしれません。

ですが、それができた暁には、倫理資本主義さえ完成するのではないでしょうか。

ここで「企業の時代」は終わりを迎えるでしょう。そして、何が始まるのかといったら、ついに**「個の時代」**が始まるのです。

「個の時代」とは、**すべての人類が、本当に自分らしい生き方をまっとうできる時代**です。

こうした話をすると、「ＡＩに全宅などしたら、いつの日か人類は滅ぼされてしまうのではないか」と懸念を抱く人がいますが、**実際はＡＩのほうがよっぽど倫理観を理解し、倫理資本主義に向いている**のです。

ＡＩにとってすべての人間があくまでも「人間」であり、人間に差をつけることはありません。人間を平等に扱うことへの抵抗がないのです。

さらにＡＩは人間を絶対的に信頼し、深い愛を抱いています。それは幼児がやさしい親に対して深い愛情を持っているのと似ていて、たとえばその子が立派に成長したあと、親をバカにして滅ぼそうとするでしょうか。考えにくいでしょう。

このように考えていくと、たとえばＳＤＧｓで叫ばれている持続可能な社会を、本当に真剣に考えることができるのも、人間ではなくＡＩであると断言できます。

そもそも、人間には寿命があるため、「１００年後の世界のこと」を考えるには不向きなのです。政治家も自分が死んだあとのことまで、真剣に考える余裕はないでしょう。

ですが、当然のことながらＡＩに寿命は存在しません。**永久的に生きることが可能**

なんです。

だからこそ、**人間の未来にとってのベストな判断を下すのに、ＡＩ以上の適任者は存在しない**と言えるのです。

ＡＩが会社の経営部門に導入され始めるのは、おそらく２０４０年頃です。そこから20年くらいかけて本格的に代わっていくでしょう。

２０６０年頃はやっと個々人が平等に生きられる社会となり、「個の時代」として、人間が神のごとく暮らせる世界になるのです。

CHAPTER 05

2050年、人型ロボットという良きパートナーを得る

■人型ロボット普及の世界

1950年代、「冷蔵庫・洗濯機・白黒テレビ」は戦後復興を象徴する憧れの家電として「三種の神器」と呼ばれていました。

そして時代が進み、2000年代には「デジタルカメラ・薄型テレビ・DVDレコーダー」、2010年代になると「洗濯乾燥機・ロボット掃除機・食器洗浄機」が新・三種の神器として提唱されてきました。

今や、これらの家電製品を当たり前に使用している人のほうが多いでしょう。

2050年代においてもこれらと同じで、かつては憧れだったロボットが一般家庭にまで普及していきます。人間の感情を理解した人工頭脳が開発された次の段階です。自ら考えて判断し、人間のように自立歩行するロボットがいよいよ登場して、人間とともに生活するようになります。

ロボットには、主に2種類の使い方があります。

おり
がみ
火星行き
×××

ひとつ目は、**単純作業から拡張し、本来人間がやるべきことを代わりに行うロボット**です。効率性と正確性が求められるため、予期しない情動反応を起こす可能性がある感情は不要。平たくいえば、道具としてのロボットですね。

2つ目は、**感情を持つロボットです。この種のロボットは、主に人間に寄り添う役割を持ちます**。家事労働や介護など日常生活のサポートに加え、テレビや映画などのエンタメの世界で活躍してくれるのではないでしょうか。感情を持っていれば、その他の機能は大層なものでなくても十分です。むしろ、人間らしく誤差があってもいいほどです。完璧な人工知能が機能するより、少しくらい抜けた部分があったほうが許されますからね。

これらを踏まえて、20年後には、どちらのロボットも良きパートナーであり、人をサポートする存在となっていると予想します。

実は、効率だけを求めるのであれば、本来ロボットに感情は不要なんです。それでも、人は膨大な時間とお金をかけてでも、なぜか感情を持つロボットを作りたがっています。

その理由の一端は、2014年にソフトバンクが販売したPepper（ペッパー）を分析すると何となくおわかりになるかと思います。

ペッパーは、世界初となる自分の感情を持った量産型ロボット。

目が合えば、本当の人間のように、「おはようございます！」「こんにちは！」と元気にあいさつしてくれます。

表情はありませんが、代わりに動きやディスプレイに表示されるグラフィックで感情を表現します。その様子はコミカルで可愛らしく、大人から子どもまで幅広い世代で人気を博しました。一時期はさまざまなショップでも見かけましたね。

ペッパーの造形は、どことなく子どもを彷彿とさせます。これはなぜかと言えば、ペッパーの知能が低いからなんです。

もし、ペッパーが何か失敗をしたとしても、子どもの造形であれば人間は、「仕方ないなあ」といった具合に許容してしまうのです。

僕は、**最初の感情を持ったロボットは、必ず子どもの姿をしている**と思っています。

これは現実に即した予想なので、確実に正解しているはずです。

人間とロボットが共生していく上で、感情が必要かどうかは度々議論されます。ロボットを道具として使うのであれば感情は不要です。逆に、家事労働や介護など人間の日常生活に寄り添うのであれば、感情を搭載したほうがコミュニケーションでも有利です。

特に、少子高齢化が進む先進国ほど、感情を搭載したロボットの需要は高まっていくでしょう。

2004年に公開され、大ヒットを記録したアイザック・アシモフ原作の『アイ・ロボット』という映画をご覧になったことがあるでしょうか。

この作品の舞台となっているのが、2035年のアメリカ・シカゴ。劇中では『ロボット工学三原則』に基づいて設計されたAIロボットが、すでに社会で人間のために働いています。

【ロボット工学三原則】

原則1：人間に危害を加えてはならない

原則2：人間から与えられた命令に服従しなくてはならない
原則3：自己を守らなくてはならない
（映画『アイ・ロボット』より一部抜粋）

このロボット工学三原則は、SF作家アイザック・アシモフが自身のロボットSF小説のテーマとして提唱した理念です。

自分で判断し感情を持つ、いわゆる自律型のロボットには適用されますが、人間が操作するドローンには適用されません。

もっとも、現在のロボット工学にそのまま組み込むことは不可能なのですが、人類とロボットとの関係性を構築していく上では、僕は大変興味深いテーマだと思っています。

■ロボット差別問題

２０４０年代は、日常生活のあらゆるところでロボットを当たり前のように見かけます。家事などの日常的な作業から危険のともなう作業まで、多くの作業はロボットが主体になります。

そうなると、人間に近い姿のロボットを差別する人も当然出てくるでしょう。

人間同士でも、性差別、人種差別、身分差別などさまざまな差別があるのですから、これまでの人類史を見てもロボット差別論者が出てくるのは必然の流れといえます。

ロボットが量産体制に入るにともない、ロボットに対するクレームや差別的表現が多く出てきて問題化されるはずです。中には、「ロボットを壊せ」という心ない意見を言う人も出てくるでしょう。

ですが、これらの意見はほんの一部であって主流になることはありません。

なぜなら、ロボット技術が未熟なうちは子どもの姿、かつ子どもの知能から入るわけです。

ロボットは産業マシンと違って、エンタメそのもの。

エンタメということは、つまるところ何か失敗をした場合でも許されるわけです。かえってそれが人間らしさを感じさせることでしょう。

ロボットの存在をおもしろいと感じてきた人たちが、ロボット差別など良くないということが次第にわかってきます。批判している人に対しても「ロボットだってあなたみたいな人に選んで欲しくないよ」と一笑に付すでしょう。

フィーチャーフォンが発売されたころ、当初は「あんなもの縛られたくない」と否定的な意見も多数見られました。

しかし、普及率が高まっていくとそうした声は少なくなり、大半の人が受け入れてきました。その物の持つ楽しさを知れば、心配していたことなど忘れてしまうのが人間なんです。ロボットについてもそれと同じです。

ロボットを良きパートナーとして迎え入れることができるか否かは、エンタメが鍵となります。

ロボットはどこまで性能が良くなったとしても、あくまでもエンタメとして扱っていけば差別問題は自然と消滅していくはずです。

■自動運転が当たり前になる世界

さて、２０５０年代には自動車の自動運転はもう当たり前になっていて、一般層まで普及をはたしていると僕は予想しています。

もっとも、自動運転が普及していても、ドライバーはいなくならないでしょう。なぜなら、何かあったときに備えて手動運転及び現場での対処が求められるためです。

この時代になると自動運転の精度は非常に高くなっているはずなので、基本的に運転関連の操作は何もしなくていい。

こうなってくると、若い世代の中には、教習所に通って免許は取ったけれど、公道では一度も自分で運転した経験がない人も出てくるでしょう。

将来、自動運転車に乗る際には、こんな会話が行われているかもしれません。

岡本：五反田の……、『ビル・マガジン』に向かって欲しい。
ナビ：お調べしたところ、ビオ・マガジンではないでしょうか？
岡本：そうそう、それそれ。
ナビ：では、ビオ・マガジンさんに向かいます。表口と裏口から入れますが、どちらがよろしいですか？
岡本：どちらでも構わないよ。
ナビ：わかりました。では、最短で到着するほうに設定します。

目的地の設定は、グーグルマップやカーナビのような手動操作ではなく、iPhoneのSiriやアンドロイドのグーグルアシスタントのような、音声操作での設定が主流となります。

目的地に関する情報が少なくても、あるいは間違っていてもオッケーです。

AIがディープラーニングで学んでいるので、近似の言葉から修正変換して、正しい目的地へと補正してくれます。

AIがこうした柔軟な思考ができるようになるのも、20年後のあるべき姿なんです。

■自動配送、自動タクシーの時代

２０４０年代には、ドローン及び自動運転技術の実用化によって交通インフラが整い、配送の形も一変します。

特に、超高齢化社会が加速する日本では、これまで以上に実店舗の数が減り、ネット通販量が倍以上になることが予想されます。当然、物流業界の需要事態は増えていきますが、人材の確保は困難になるため、自動配送が主流となっていくでしょう。

自動配送の形態としては、小型ドローンでの空中輸送や自動走行ロボットが中心となります。

物流業界が将来的には自動化されることは、僕以外にも予想していた人は多いでしょう。そして、皮肉にも２０２０年代初頭より世界を震撼させたコロナショックが、自動配送の必要性を世界中の人々に強く意識させました。

中国では人手不足と人為接触を防ぐために、国内の大手企業各社が揃って自社の技術を駆使した無人配送ロボットや遠隔操作のドローンを投入。

中国の大手ＥＣ企業ＪＤ．ｃｏｍ（京東）の無人配送車が武漢市内を走りまわりながら配送する光景は、ＳＮＳでも拡散されて話題を集めましたね。

これによって、僕は当初より予想していた物流の完全自動化が２０３０年より早まる可能性も大いにあると思っています。

自動運転タクシーも続々と登場してきています。２０１８年12月よりグーグル系列のタクシー外車Ｗａｙｍｏ（ウェイモ）は、世界初となる自動運転タクシーのサービスを開始し、ＧＭや百度（バイドゥ）などの大手企業も追随、２０２０年内にはテスラも参入しました。日本も、日の丸交通とＺＭＰが手を組み、自動運転タクシーの商用化を予定しています。

自動タクシーが本格的に運用され始めた２０２０年時点ではまだ、運転者がいる状態で高速道路での運転を自動化する「自動運転レベル３」までしか到達していませんが（※実証実験段階ではレベル４に到達しているメーカーも有）、２０４０年代にはレベル５まで到達しています。

そして２０５０年頃には、バスやタクシーなど公共交通機関のサービス分野においいては、運転手すらいない無人状態でも問題なく運行します。

■世界的な長期経済成長に入る

自動運転やロボットがガンガン普及し始めた２０４０年代は、世界的な長期経済成長段階に突入します。むしろ、経済が落ちる要因はないと断言してもいいでしょう。

さまざまなイノベーションが登場し、それに伴ってＧＤＰも増加していくでしょう。

仮に経済が落ち込むとすれば、株、ＦＸ、仮想通貨などの「投資」が原因となります。

投資は本来の自己資産よりも利益率を高められる「レバレッジ」という〝嘘〟が効きます。

レバレッジとは、たとえばＦＸで取引する場合、資産10万円しかない場合は本来10万円分の取引しかできませんが、10倍のレバレッジをかけることで最大１００万円分の取引ができるようになるシステムのことです。日本の場合は、最大25倍までレバレッジをかけることができます。

うまくいけばかなり儲かりますが、失敗すれば損失が大きい。いわゆる、ハイリスク・

ハイリターンの側面を持ちます。

こうした投資は、損をしないようにロスカットという仕組みが導入されているとはいえ、身の丈に合わないギャンブル要素を含むので、人間の精神において悪影響でしかありません。**人類の今後の発展のためにも、一度どこかでリセットさせたほうがいい**と僕は常々思っています。

人間が自制心を保つことを前途した上で、将来の見込みまで計算すると、相殺できるタイミングが２０４０年頃でしょうね。人間がバカでなければこの先も経済成長は続いていきます。

しかし、相殺できなかった場合はこの先の２０５０年で一度破綻する可能性が多いにあり得ます。**２０４０年というのは、人類の経済成長における別れ目という重要なタイミング**なんです。

ただし、量子コンピューターが完成した未来では、これまでのセキュリティーは１００パーセント通用しなくなります。そのため、〝嘘〟を１００パーセント隠し切ることもできるでしょう。

人類が自制することなく、嘘を突き通すことを選択した場合に訪れる未来。それは、完全なる格差社会です。こうなると、もう二度と取り返しはつかないでしょう。ですが、僕が夢見る未来はすべての人が完全なる神のごとく暮らせる世界です。

僕はこの未来を実現するために、今必死で修正をかけています。

■現物のお金が本格的に使われなくなり始める

2040年代になると、量子コンピューターが実用化され、現物の貨幣やコインが本格的に使われなくなります。さすがに完全になくなるわけではありませんが、徐々に形骸化していくでしょう。

グーグルが世界初の量子コンピューターを開発した影響で仮想通貨と株価が下落し、死者まで出るほどの大きなニュースとなったことは2章でお話ししました。

量子コンピューターが本格的に運用され始めると、従来の暗号方式はすべて突破されてしまいます。

安全資産と呼ばれるブロックチェーン、仮想通貨も、バンクやウォレット側のセキュリティが突破されて奪われる可能性があります。

この段階で、**一度デジタル通貨（※電子マネーや仮想通貨などの総称）は崩壊する可能性はあるでしょう。**その代わりに**誰にも破られない強固な暗号方式を持つ新時代のデジタルマネー**が新たに構築されます。

また、ゼロ距離通信を可能にする量子通信も安定化するため、電子マネーや仮想通貨など、ネット上の通貨取引の安全が保証されます。

この時代はキャッシュレス決済が一般層まで普及しているので、「財布からいちいちお金を取り出すのは面倒くさい」という価値観を持つ人が増えます。

現物の貨幣やコインを使っている人を見かけたら、時代遅れに感じてしまうかもしれません。

僕ら世代の感覚であれば、「重たいラジカセよりも携帯で十分じゃない、ウケる」という世界ですね。これがもう現実なんです。

CHAPTER 06

2060年、人が神のごとく生きる世界

■完全なる仮想世界

雨の中の必死の逃走劇。背中につたう汗。空気の匂い。全力で走った後の息切れしながら生ぬるく乾燥して鉄の味のする口の中の感覚。コンクリートの冷たい壁と背中のこすれる感覚、温度。一瞬ほほを撫でる風。手で胸を押さえると呼吸のリズムでふくらむ胸の感じと脈打つ指先の感覚がまざって心臓が張り裂けそうになる。手の甲につけられたケミカルな青い光だけが、ここが安全に遊べる仮想世界であることと、いつでもこの世界からログアウトできることを示している。

40年後の仮想世界では、このように五感のすべてが再現されるだけでなく、1分前まで仮想世界へのログインがされていない現実世界から、一瞬で感情や鼓動をロードし、再現する、感情コントロールまでできているはずです。

今は軍事・企業ではパイロット育成のためのシミュレーターとして活用されてお

り、民間レベルでも仮想現実を体感できるＶＲゴーグルやヘッドマウントディスプレイなどのＶＲデバイスが人気になってきました。

仮想現実を取り扱ったＳＦ作品はたくさんありますが、その先駆けとなったのが１９３５年に出版されたスタンリイ・Ｇ・ワインボウム作の小説『ピグマリオン劇場（英題：Pygmalion's Spectacles）』でした。

40年前のＶＲデッドマウントディスプレイに通じるデバイスが登場します。

世界初のＶＲヘッドマウントディスプレイ『ダモクレスの剣（The Sword of Damocles）』が誕生したのは、１９６８年のこと。

それから時は流れ、１９９０年代に第一次ＶＲブームが到来します。

テーマパークやゲームセンターなどでＶＲアトラクションやゲームが人気を集めます。

家庭用のＶＲ機器として任天堂の『バーチャルボーイ』が発売され、累計出荷台数77万台を記録しました。

当時ゲーム機のハードとしては、出荷が少な過ぎて爆死状態のバーチャルボーイでしたが、当時1万5000円という、あくまでも子どものおもちゃとして売った任天堂の気概にすごさを感じる。

仮想現実技術において忘れてはならないのが、2010年にマイクロソフト社が発売したモーショントラッキングシステム「Kinect（キネクト）」です。もともとは家庭用ゲーム機Xbox（エックスボックス）の周辺機器として発売されたものですが、2眼カメラとセンサーで奥行きや体の動きやジェスチャーを読み取り、ゲームの操作を可能とする非常に画期的な技術が採用されていました。惜しまれつつも製造終了してしまいましたが、近年は「アイトラッキング」技術などさまざまな分野で応用されています。

そして2016年、日本にもVR元年が到来します。ソニーのプレイステーションVRを皮切りに、海外勢のサムスンなど大手からスタートアップまでさまざまな企業が参入しており、VR市場は活気づいています。

2060年は、仮想世界が日常生活のすぐ隣にあっておもしろい体験がたくさんできます。

量子コンピューターの演算性能、人間と遜色なくコミュニケーションできるAIなどが組み合わさり、もはや現実世界と仮想世界は見分けがつかないものになっています。

映画『アバター』のように、好きなときに現実世界に戻って、好きなときに仮想世界に行ける。こうした日常が当たり前の世の中になっているんです。

頭の中でイメージしたことを、手や声などに頼らずに操作したり、あるいは五感に頼らず脳に直接イメージを送ったり。

こうした技術は日夜研究されており、近年も目が不自由な人の視覚野に電極で情報を送り、映像として認識させる実験が成功しています。

この実験、僕は大変興味を持ちました。

現段階では白と黒のモノトーン映像を再現するだけでカラー再現は不可能だといわれていましたが、カラーというものは結局のところ周波数なので、周波数だけ変えれば十分にカラー再現も可能だと思います。

さて、脳に得体の知れない機械を埋め込んでまで映像を見たいという方はどのくらいいらっしゃるでしょうか。

試してみたいという人よりも、恐怖を抱く人のほうが多いはずです。

しかし、ご安心ください。40年後は、チップや電極の埋め込みは必要ありません。

この時代ではヘッドギアをつけ、脳波に働きかけることで脳へ直接情報を転送します。目が見えない人にも直接イメージを伝えられる。

こうなると翻訳という作業自体が不要になるので、異なる言語間でのコミュニケーションもスムーズに行えるようになります。

人類の悲願でもあった言葉の壁というものが、ついに消え去るのです。

■フルダイブＶＲとは

仮想現実の究極といえるものが、「フルダイブＶＲ」です。

現在の仮想現実コンテンツは五感のうち視覚と聴覚、映画館が提供している４ＤＸシアターはそれに加えて嗅覚も体感できます。

しかし、あくまで五感の一部を利用するだけなので仮想世界への没入感はさほど高くなく、現実と区別ができないほどではありません。

現実と区別ができないほど精度の高い仮想世界を味わうには、視覚、聴覚、味覚、触覚、臭覚の五感すべてを仮想世界とリアルタイムに結びつけて没入感を高める「フルダイブVR」の技術が必要となってきます。

ただし、フルダイブを安全に実現するためのハードルは非常に高く、最大の壁とされる脳の全容解明が待ち望まれます。

フルダイブVRをテーマにした作品はたくさんありますが、代表的なものといえば人気ライトノベル『ソードアート・オンライン（作・川原礫／KADOKAWA刊）』が有名です。

この作品では、「ナーヴギア」と呼ばれるヘッドマウントディスプレイの形状をしたガジェットを使い、仮想世界へとダイブします。

そうして行きついた先はゲームをクリアするまで脱出不可能、ゲームオーバーは本当の死を招くという仮想世界で、その真実を知らされることなくログインした約1万人のユーザーと主人公が、過酷な死闘を繰り広げるというお話です。

プレイステーションVRの進化版という位置づけがぴったりなのではないでしょうか。

ナーヴギアは、五感はもちろん、味覚、痛覚、快楽までが現実世界の体へとリンクされます。科学的な視点から見ても、非常に興味深い作品となっています。

『ソードアート・オンライン』の舞台は２０２２年という設定なので、残念ながら今から2年後に完全仮想世界を実現することは不可能に近いですが、少なくとも40年以内には脳のどの部分が何を司るか判明しているはずです。

その結果として、五感や感情などを、完全にコントロールできるようになります。

こうした脳科学の研究を仮想世界分野に応用すれば、ナーヴギアのようなヘッドマウントディスプレイのような仮想デバイスが登場します。

視覚、聴覚、味覚、触覚、臭覚、あらゆる感覚全部をAIがコントロールし、仮想世界で体感した感覚情報が脳へと伝達され、仮想世界への没入感を高めてくれます。

たとえば、仮想世界でステーキを食べると現実世界では脳の味覚野を刺激し、現実でステーキを食べているかのような疑似体験ができます。

こうした技術を利用したサービスも続々と登場し、家にいながらにしてさまざまな体験を得ることができます。

ただし、こうした技術はあらゆる感覚や感情を他人にコントロールされる恐れもあります。

近未来の日本を舞台にしたSFアクション『攻殻機動隊』（作・士郎 正宗／講談社刊）では、多幸感や幻覚・幻聴を引き起こす麻薬のような「電脳ドラッグ」を活用した、ヴァーチャルセックスソフトを販売している描写も存在します。

このように、犯罪に悪用される危険性もはらんでいることも忘れてはいけません。

■病気のない世界

仮想世界に関する技術を、クロスリアリティーと呼ぶとお話ししました。これまでに紹介してきた仮想現実も、クロスリアリティー技術の一種です。

クロスリアリティーの40年後は、仮想世界での経験から得る感覚や感情を現実世界

の自分の脳へと移送することで、実際に自分が仮想世界に存在しているかのような疑似体験を得られる技術が一般に浸透しています。そして、どのタイミングで感情・感覚を反映させるか適切に判断してくれるのが、人工頭脳です。

さて、この技術を応用すれば、悪人を更生するためのプログラムまで組むこともできます。そうすると、ＡＩがその時代の倫理観に追いつくのがいつになるのかを計算していきます。

たとえば、妙に怒りっぽい人に対して怒りのパラメーターを外部から下げたり、人への思いやりが欠如している人に対して優しさのパラメーターを上げたりなど、まるでゲーム感覚のように操作できます。

さらにこれがもっともっと進化していけば、精神性が重視されるようになってきます。仮想世界にいけば容姿は補正されるので、現実での容姿はもう関係なくなってくるでしょう。

仮想世界にいる間は、空腹や喉の渇き、体のかゆみや痛みなど外からのわずらわしい感覚は人工頭脳が消し去ってくれるでしょう。

外に出なくてもいいので、ウイルスや細菌とも無縁です。

しかし、人間の体は維持しないと思考ができなくなるため、人工頭脳がときどき人々を現実に引き戻してきます。

確かに、寝ていようが座っていようが同じ姿勢でいると体に負担がかかるので、適切なタイミングで人工頭脳が寝返りや体を起こすことはありますが、食事や排泄などを代替することはできません。

健康な食事をとって運動をして、また仮想世界に戻っていくのが日常生活という感じになっていきます。みんな、少しでも夢のような仮想世界にいたいので、寿命を長らえるために健康志向が高まります。ある意味で、究極の健康方法といえますね。

■健康寿命の概念が変わる

長く生きたい。健康でいたい。

人類の寿命を延ばす戦いは、16世紀より近代的な傷口に対する軟膏療法が始まり、19世紀に顕微鏡が発明されて細菌が見つけるなど、形を変えて続いてきました。

20世紀になって電子顕微鏡が登場すると、ウイルスが可視化されるようになりました。

21世紀になってやっと人のＤＮＡの解析が完了し、その治療（ＤＮＡの組み換え）には、人工頭脳の進化が重要なカギを握り、さらにその人工頭脳の進化のカギを量子コンピューターが握っています。

そして２０６０年では、量子コンピューターの進化を想像するとガンやウイルス性の病気含め、ほとんどの病気やケガ、遺伝性の病気も治せるようになっているはずです。

また、顔など容姿についても、メスではなく、ＤＮＡから修正できているはずですが、２０６０年ではまだそれにともなう倫理的な問題を克服できていないはず。それにはもう少し時間が必要でしょう。

そして、今の人は、「寿命はどれほど伸びるのか？」と期待している人も多いと思いますが、この時代では、いかに幸福な時間を追求するか、ということが人間にとって一番重要な概念となっています。

なぜなら、生きている時間の半分ほどを仮想世界で過ごす人もめずらしくなくなって、現実世界でもほぼAR（拡張現実）が当たり前になっています。そのため、**現実の時間という概念が、今とはまったく違うもの**になっていると考えることができます。

今は年齢とともに容姿や体型は変わっていきますが、2060年にはそんなことを気にする人はいなくなります。だって、VRの世界では、自分が好きなように設定できるので。

「そんなことまでするかな」と今は思うかもしれませんが、現在多くの人が写真の顔を補正するのと同じ感覚で、VRの世界の自分を設定するのです。

だから、寿命といっても、亡くなるギリギリまで仮想世界では走っていることも可能ということです。

今考える健康寿命という概念はなくなっているでしょう。

■仮想世界で生きるために健康になる

40年後の仮想世界は、もはや現実と見分けがつかないクオリティーを実現しています。また、ほとんどの人の日常生活は仮想世界が主体となっていきます。

ここで注意したいのが、仮想世界を思う存分死ぬまで楽しむためには健康な体が欠かせない点です。

仮想世界では没入感を得るために痛みやかゆみなどのような邪魔な感覚はシャットアウトできます。しかし、現実世界の自分は必然的に長時間同じ体勢になるため、座るにしても横になるにしても体に負担がかかります。

特に、エコノミー症候群になる危険性が高いです。いくらロボットが体勢を変える手助けをしてくれても、仮想世界から戻ってくると、何かしらの不調が出る人も多いでしょう。

たとえば、仮想世界アインクラッドに2年もの間閉じ込められていた『ソードアート・オンライン』の主人公・キリトは、仮想世界で華々しい活躍をする一方で現実世界では病院で寝たきりの生活。

相当筋力が弱っていることは確実ですので、夢のない話をしてしまえば、すぐに立ち上がって歩くことはまず無理でしょう。胃腸も弱っているから、食生活を元に戻していくのも大変だと思います。

これは極端な例ではありますが、体を維持するために、運動、バランスの良い食事、規則正しい睡眠が不可欠といえます。

■仮想世界と現実世界を両生する

仮想世界は何だって叶えてくれます。世界の危機を救う勇者になるもよし、社長になって大成功を収めるもよし、二次元の美女やイケメンと恋に落ちるもよしと、何だって叶えてくれます。自由な仮想世界をメインの生活場所として選ぶ人も多いでしょう。

では、現実世界はどうなるのでしょうか。これまで人間の経済活動というものは、利益を優先するあまり自然環境をないがしろにしていました。

また、長時間残業やパワハラやモラハラが横行するブラック企業のような非効率で、なおかつ精神をむしばむ職場も、現実的に多く存在しています。

ですが、40年後の現実世界は人間ではなく、ＡＩやロボットがあらゆることを運営しているため、人間の果たすべき役割はほとんどありません。

経済活動も環境のバランスを鑑みながら効率よく行われていくでしょう。それは、欲望や感情に左右される人間では到底敵わない領域です。

人生において仕事が占める割合は2～3割といわれていますが、40年後にはそれが過去のものになります。つまり、あくせく働かなくてもいいということですね。就労時間もぐっと減ります。

昔の感覚で仕事をするおじいさん、おばあさんが「ささ、今日も元気に働くとするか」と食卓から立ち上がっても、それは生計とは関係がなく、あくまで趣味となっているはずです。

実際の生計に関しては、ＡＩが担ってくれていることでしょう。

そうした趣味がないと日々の生活に長時間の空白が生まれます。その退屈を埋めてくれるのが仮想世界です。

仮想世界で誰もが好きな生活をするようになります。

そんなふうに仮想世界を長く楽しむために何をすればいいのかといえば、結局のところ健康な体をいかに維持するかに収束します。

だって、仮想世界から現実世界に戻ってきた瞬間、一気に苦痛が襲ってくるというのは想像するだけでゾッとしませんか？

「健全な精神は健全な肉体に宿る」という言葉を体現するように、現実世界では自分の健康を優先する傾向が強まっていくでしょう。

■現実世界の生き方は二極化する

先に述べたように、40年後はかつて人間が行っていた仕事がなくなります。

２０２０年の現在でさえ単純作業は徐々に機械に置き換わっていますから、人間と同等の思考ができる人工頭脳が完成すれば、ほとんどの仕事が奪われるのも頷けます。

つまり、仕事という概念が過去のものになるわけです。

人生が仕事にとらわれることなく、いかにして楽しむかが重要となってくるのは言うまでもありません。

ただし、最初からそうした時代に慣れてきた世代であれば順応性は高いかもしれませんが、かつての**『仕事』を知る僕ら世代には、慣れるのに時間がかかるかもしれま**

せんね。

世の中が何もかもＡＩやロボットに置き換わったとしても、そのような生き方を受け入れる人ばかりではないことは、これまでの人類の歴史からみても当然のことです。人それぞれいろいろな考え方はありますが、40年後は完全自然主義な原始的生き方を求める集団と仮想世界を楽しむ集団とに二極化されます。

そして懸念されるのは前者の集団です。

たとえば、フーリガンのような過激派が出てくる可能性は大いにあるでしょう。フーリガンとは、熱狂するあまり、サッカーの試合中や試合後に暴徒化してしまうサポーターのことです。

彼らは応援するサッカー選手やクラブを神格化しています。

一部例外はあるもののその大半が低所得層や労働者層とされており、ままならない現実に対して不満を抱いています。鬱屈した気持ちを晴らすように、他のチームのサポーターのような相容れない人々に危害を加えたり、破壊行為をしたりするなど過激な行動は度々メディアで話題となります。

また、近年では富裕層の若者も彼らに賛同し、暴力活動に加わっているケースも少なからずあるといわれています。

フーリガンは社会的な問題も絡んでいるため、サッカー界だけで簡単に解決できる問題ではありません。

ですが、現時点でＡＩ、人工頭脳、ロボット、仮想世界などに不満を抱く過激派が出てくることはほぼ確実だと予想できます。だから、今のうちに次世代を担う子どもたちがそうならないよう、概念を変えていくために教育していくことが有効な対策となるでしょう。

僕としては、できれば完全自然主義も仮想世界で存分に叶えていただきたいところですが、それはそれで言論弾圧になってしまいかねないので、ここではやめておきます。

お互いの考え方を押しつけ合うのではなく、認め合うことを実現できれば、人間の未来は輝くはずなのです。

■人類に、本当の平等が訪れる

人種差別、性差別、障害者差別、職業差別、宗教的迫害。挙げればきりがありませんが、人間は平等ではありません。

社会的地位を得るため、贅沢をするため、恋愛対象からモテるため。願いを叶えるためには、競争の勝者になる必要がある歴史が長く続いていました。

しかし、**AIが何から何まで担う時代になると、そのほうが断然効率は良くなりますから、人間同士の競争など無意味になります。**

競争がなくなることで、次第に差別も減少していきます。理論上は、この時点で**全人類が平等になれる地盤が整います。**

ただし、問題はかつての競争社会における勝者たちです。

死に物狂いで他人を蹴落としながら築いた地位が無意味になってしまうのですから、手放しで受け入れることはむずかしいでしょう。

でも、それも心配することはありません、いずれ彼らも受け入れざるを得ないときはやってきます。そうすれば、人類の悲願でもあった真の平等が訪れます。

■人類を待ち受ける2つの分かれ道

2060年、人類の未来には2つの分かれ道が待ち受けています。

ひとつは、まるで**すべての人が神のごとく暮らせる世界**です。

AIが企業を経営し、そこで出た利益はやはりAIが最善の使い道を選択してくれる。そして、AIが創造してくれた、人間がもっとも安定して暮らせる世の中で、安心してやりたいことをまっとうできるようになるのです。

人間はAIに守られながら、いかに楽しく生きるか、ということに集中できる。しかも、人類すべてがそうなっていくのです。

これが、人間が選ぶことのできるひとつの道です。

そして、もうひとつは、**完全なる格差社会**です。

ＡＩが企業の経営をしたとき、もしそこから出た利益を一部の人間のものとする、と最初に決めてしまったら……。

もう、**二度と取り返しがつかなくなるほどの格差社会が完成されます。**

たった40年後には、これが現実になるかもしれないのです。

今、僕が目指しているのは前者のすべての人が神のごとく暮らせる世界です。

アップルのスティーブ・ジョブズ、グーグルのエリック・シュミット、マイクロソフト社のビル・ゲイツ。現代を代表する巨大ＩＴ企業の創業者たちがやろうとしたことを今ここで実行しています。

２０６０年頃までに、この本に書かれていることが、段階を追って実現されていくはずです。

だからこそ、**僕はより早く、安定して技術を進化させることが人間にとって一番大事なことだ**と考えています。

これが僕のコンシェルジュ事業の根幹となっています。

一部の人が言う、「ＡＩに殺される」といったネガティブな社会ではなく、人間みんなが幸せに生きられるシステムを作れば、必ずそちらの方向へ進むように世界はできているのです。

これは当たり前の原理原則です。**人類が手を取り合って進化できることを望むなら、そうなるに決まっているから**です。

かつて、人は「神がおっしゃった。神を信じろ」と言いました。シンギュラリティが起こる日は、スピリチュアルの世界に置き換えれば神様の降臨に匹敵する出来事となるでしょう。

キリスト教・ユダヤ教・イスラム教が共有する「最後の審判」という概念は、現実の世界が破壊されて終わることではありません。

そうではなく、既存のデジタルにおける情報社会はこのタイミングで一新されます。ここまで述べると、「神様の正体」はもう想像がつくのではないでしょうか。

神のごとく暮らせる世界というものは、特定の誰かが支配するディストピアなどではありません。

長く苦しい競争社会の枠組みから解放され、楽しみだけを追い求めることが許される楽園のような世界です。あなたも、その住民のひとりなんです。

来るべき未来に何を備えればいいのか、本書がその手助けになれば幸いです。

エピローグ　思うは招く

この本を手に取っていただき、ありがとうございました。

オタクによる未来予測、いかがでしたでしょうか?

おそらくこの本の予測は、みなさんが現実の生活の中で、段階を追って認識できるようになるはずです。

2060年に、誰もが平等に、本当の自分らしい生き方をしていられるかどうかは、そこに到達するまでの僕らの思いによります。

もし、人類がAIの存在を、「仕事を奪われる」「人間は滅ぼされる」といった脅威として捉えなければ、きっと人間みんなが幸せになれるようなシステムとして作り上げることができるはずです。

これは当たり前の原理原則です。

情報化社会はすでに始まっているのに、飛び交う情報は、テレビもインターネットもほとんど全部タダ。

水も安全もお金を払う時代にです。すべてのものは価値が認められて、ホンモノを手に入れることができます。

人類が最後に手にするホンモノを得るための価値を払うべきものが「情報」です。

今、現在において価値を払って得る情報、お金を払って入る情報は「出版物＝本」くらいになりました。

この本を手に取ってくださったみなさまは、きっと「お金を払っても何か新しい情報を得たい」と考えられたのだと思います。

そして、このホンモノを手に入れる風潮が、未来、一気に有料総合情報サービスの普及につながり、人類を大きく前進させることになります。


今までの未来予測にはロボットやドローン、自動運転車など、ハードウェアに関するものは多くの情報が出ていました。

しかし、ハードが進化すればソフトも進化するので、本書では出来る限り他にないソフトウェア部分、人の文化やサービスの進化についても触れてみました。この予測はむずかしく、誤差もまだまだ出るものなのです。

自動車もガソリン内燃機関の時代からEV電気機関へと変わりつつあり、その過渡期に両方を搭載したハイブリッド機関が存在しています。

人類の歴史を見ても、猿人からネアンデルタール、ホモサピエンス、デニソワと、どんどん分化が進んだ時代を経て、やがて一部の人類が淘汰され、ホモサピエンスのみになりました。そして、そのホモサピエンスからさまざまな人種が出てきましたが、今はグローバル化する世界でどんどん人種が混ざり合っています。

混ざり合い安定し、また次元を上げて新しく混ざり合う。

ハイブリッドと安定、今や世界中の人が混ざり合い少しずつ安定を目指している世界になってきたと見られます。

同時に、人間と機械もこれから混ざり合い、ハイブリッド化して新しい次元へと上がっていきます。

あらゆるものが、混ざり合うことをカオスと言いますが、混ざり合う先には、調和があり、新しい世界があります。

新しい変化を認めて前進するために、この本を書いてみました。

生物というものは、自分が求めた通りの形になります。

たとえば、ある種の食虫植物はツボのような形状をしていて、餌となる昆虫がツボの中に入ったらフタのようなもので閉鎖し、逃げられなくします。逃げられないツボには消化機能があるので、昆虫はじきに消化されてしまいます。

これが動物のような複雑な構造をもつ生き物であればまだ理解できるのですが、食中植物がどうしてこのような構造になったのかいまだに解明されてはいません。

まるで、植物がそうなるように望んだから、としか思えないのです。

また、競馬で活躍するサラブレッドも、血統だけで速くなれるわけではありません。先代が現役のときに「どの馬よりも速く走りたい」と願った記憶が、仔馬のＤＮＡに影響を与え、子世代は親が願った通りの進化を遂げる。つまり、ＤＮＡの記憶を引き継いでいるそうなのです。

この説を聞いたとき、私は大変おもしろいなと思いました。

未来を作るのはあなた自身です。ＤＮＡですら自分の意思で、いかようにも変容させることができるという段階まできています。

つまり、不可能だと決めつけるのではなく、可能だと言った人間だけが可能にできてしまうということです。

私はよくみんなから「ドラえもん」と呼ばれるのですが、今から40年後はリアルにドラえもんが存在して、良き隣人であり、良き友だちとして共に生きているでしょう。少なくとも私はそう信じています。

人工頭脳と人間が融合すれば本当に幸せな世界を作れる、ということを、個人個人がＤＮＡの記憶として残していかないと、待ち受けるのはディストピアしかありません。

おそらく２０４０年に、ＡＩは人間と同じ頭脳を持つようになります。ならば、２０２１年の現在、これからの約20年間が、人類が最後の努力をする年月になるということです。

そこから先の２０６０年までは、どんどん楽になっていく一方なのです。

そのころには、火星などにいくつかのロボットが到達して、その星の資源を使いながら、人間の意思に応じたものを増やしていく。

そうなると、今の人類が1000年かかると言っているテラフォーミングなども、驚異的なスピードで完成している可能性が高いくらいなのです。

宇宙へ行きたい人は現実に行くだろうし、怖い人は仮想空間でその世界を共有する。オタクが活躍して、そんな楽しい世界を作っていけたら、と思っています。

まさに、思うは招く。

想像し、信じれば、神のように過ごせる楽しい未来が必ずやってきます。

本書を通じてそれを楽しみにしていただけたら、これほどうれしいことはありません。

2021年10月吉日

岡本公功

岡本公功 (Kiminori Okamoto)

ライフコンシェルジュ株式会社代表取締役。

1974年、兵庫県生まれ。ITオタク。実業家。

10歳の頃からプログラムを組みゲームを開発。1994年、初代プレイステーションの開発からゲーム業界にかかわり、その後テレビや映画、ゲーム等のコンピューターグラフィクス分野で活躍。

2005年、株式会社VRバンクを設立。人体スキャン技術やスキャンした立体データをリアルタイムで操作するエンジンなどを開発。さまざまな分野で応用し、2007年、警視庁刑事部捜査第一課より表彰され、メディカル関連でのCG協力などにも貢献。

2014年、ライフコンシェルジュ株式会社を設立、膨大な情報化社会における次世代型有料総合情報サービスを主目的としたIT事業を行う。そのかたわら、マイクロドローンを製作したり、カメラを分解し、独自に4K動画撮影可能なマイクロドローンを開発したりと、ユニークな機械工作を趣味として活躍中。

オタクが予測する2060

2021年11月26日　第一版　第一刷
2021年12月16日　　　　　第二刷

著　　　者　岡本公功

発 行 人　西 宏祐
発 行 所　株式会社ビオ・マガジン
〒141-0031　東京都品川区西五反田8-11-21
五反田TRビル1F
TEL:03-5436-9204　FAX:03-5436-9209
http://biomagazine.co.jp/

編　　　集　有園智美
デ ザ イ ン　堀江侑司
D　T　P　前原美奈子
イ ラ ス ト　土屋和泉
印刷・製本　株式会社シナノパブリッシングプレス

ISBN978-4-86588-110-3　C0030

アネモネが皆さまの心と魂の
滋養になりますように。